랙 걸린 사춘기

Lag

랙 걸린 사춘기

Lag

송방순

초록서재

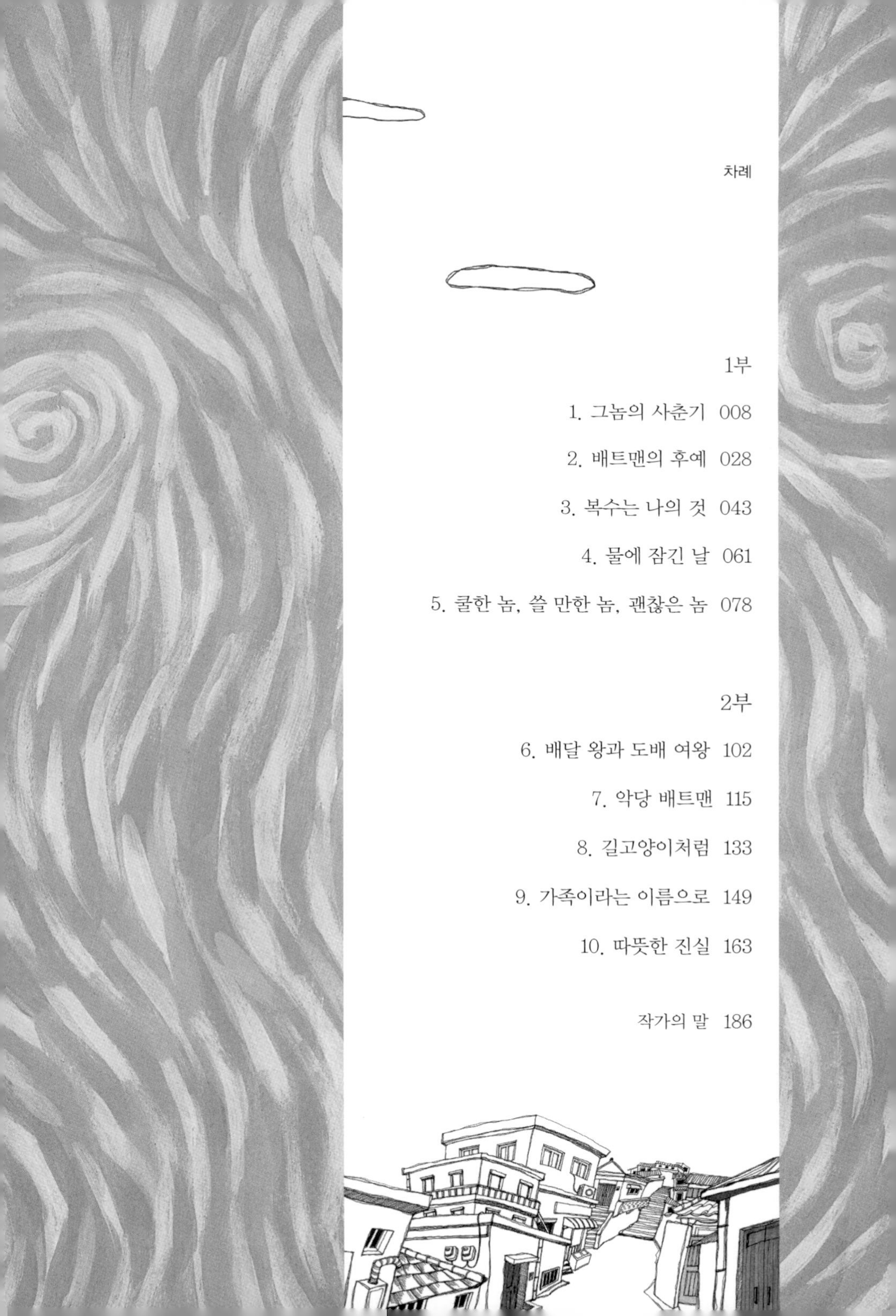

차례

1장

1. 그놈의 사춘기

그 녀석은 후미진 담장 틈새에 쭈그리고 앉아 있었다. 마치 누군가를 기다리는 것처럼 한곳을 뚫어지게 쳐다보면서. 난 처음엔 못 본 척했다. 동네에 길고양이가 많아서 특별한 일은 아니었다. 내가 그 녀석에게 관심을 갖게 된 건 순전히 형 때문이다. 형과 싸우고 난 뒤 분이 안 풀리면 밤거리를 어슬렁거릴 때가 많았으니까.

나이로 치면 고등학생인 형은 나보다 다섯 살이나 많고, 덩치도 또래보다 훨씬 크다. 아빠는 이길 수 없는 싸움은 피하는 것도 방법이라고 했다.

그날도 마찬가지였다.

"한 번만 태워 줘."

"오토바이는 아무나 타는 줄 알아? 너처럼 숏다리는 발도 안 닿는다고!"

형은 늘 이런 식이다. 친구들과 함께 있으면 나를 더 무시한다. 그럴 때마다 진짜 형만 아니라면 이단 옆차기라도 날리고 싶다. 하지만 나는 형한테 덤빌 엄두도 못 낸다. 형의 주먹을 보면 한 대 때리려다 열 대 맞을 것만 같은 막강 파워가 느껴져 기가 죽는다. 그래서 기껏해야 형의 약점을 들춰내거나 엄마 핑계를 대는 게 전부다.

"치사하게. 오토바이 한 번 태워 주는 게 뭐가 힘들다고. 엄마한테 다 이를 거야! 또 친구들이랑 오토바이 탔다고."

"이르고 싶으면 일러라. 대신 뒷일은 네가 책임져야 한다, 꼬맹아."

형은 내가 어떤 말을 해도 눈 하나 깜빡하지 않는다. 세상에 무서운 사람이 한 명도 없는 것 같다. 엄마 아빠는 물론이고 선생님도 안 무서워한다. 심지어…….

며칠 전 경찰 아저씨가 집에 찾아왔다. 나는 무슨 일이 생겼나 싶어 마음이 조마조마했다.

"영진이 넌 형이랑 방에 들어가 있어."

엄마는 일단 나와 형을 방에 밀어 넣고는 경찰 아저씨와 얘기를 나눴다. 나는 궁금해서 방문을 살짝 열고 엿들었다.

"무슨 일이신가요?"

엄마가 묻자, 경찰 아저씨는 미성년자가 오토바이를 탄다는 민원이 들어왔다고 했다.

"어린애한테 오토바이를 사 줄 리가 없잖아요?"

엄마는 형이 오토바이를 타고 다니는 걸 알면서도 시치미를 뗐다.

"솔직히 부모들은 자식이 밖에서 무슨 짓을 하고 다니는지 잘 모르는 경우가 많거든요."

"우리 애는 제가 가장 잘 알아요. 절대 그러고 다닐 리가 없어요."

"알겠습니다. 일단 신고가 들어와 확인하고자 온 겁니다. 혹시 모르니 앞으로 잘 살펴봐 주세요."

경찰 아저씨는 다행히 그대로 돌아섰다.

엄마는 경찰 아저씨가 나가자마자 방문을 벌컥 열고 들어와 씩씩거리며 말했다.

"너 또 오토바이 탄 거야?"

방 안에 쥐죽은 듯 앉아 있던 형은 그제야 건들거리며 큰소리를 쳤다.

"어떤 놈이 신고한 거야? 분명 위층 아저씨일 거야. 맨날 오토바이 소리 시끄럽다고 노려보더라니. 쳇!"

말이 끝나기가 무섭게 엄마는 형의 등짝을 세게 쳤다.

"오토바이 타지 말랬지! 그러다 사고라도 나면 어쩌려고 그래?"

"아는 형이 태워 준 거야."

"너만 보면 내 속이 터져 죽겠다. 왜 그렇게 어긋나가기만 하니?"

"내가 뭘 어쨌다고? 왜 다들 나만 보면 못 잡아먹어서 안달이야."

형이 투덜대자 엄마는 또 한 번 형의 등짝을 쳤다.

형은 시한폭탄을 품고 사는 사람 같다, 언제 어디서 무슨 일로 폭발할지 아무도 모르는. 자기가 분명 잘못한 일인데도 오히려 화를 내며 큰소리칠 때도 많다. 우스운 건 뉴스에서 사건 사고 소식이 나오면 재판관이라도 된 듯 더 흥분해서 떠들어 댄다는 거다.

얼마 전에도 형은 텔레비전을 보며 주절주절 떠들어 댔다.

"저런 것들은 싹 쓸어다 가둬 놓고 혼쭐을 내 줘야 한다니까. 그래야 이 나라가 평화로워지지."

"형만 조용히 살면 우리 집은 평화로울 거 같은데."

나는 혼잣말로 중얼거렸다.

"이 자식이!"

어느새 형이 내 말을 듣고는 발로 걷어찼다. 난 얼굴을 찡그리며 눈만 부릅떴다. 그거 말고는 대들 방법도 없었다.

"하긴 너 같은 꼬마가 형님의 깊은 뜻을 어찌 알겠냐? 넌 범생이답게 공부나 열심히 하셔."

난 덤비고 싶은 마음을 꾹 눌러 참고 밖으로 나갔다.

'형을 꼭 한번 혼내 주고 말 거야.'

형을 응징할 방법을 찾다보니 별의별 생각이 다 떠올랐다.

형이 잘 때 얼굴에 매직으로 '나는 나쁜 놈'이라고 써 놓고도 싶었고, 더벅머리를 빡빡 밀어 버리고도 싶었다. 하지만 그렇게 하면 내가 한 짓이라는 게 금방 들통날 것 같고……. 좀 더 자연스럽게 골탕 먹일 방법을 찾아야 했다. 그런 생각을 하며 동네 한 바퀴를 도니 점차 마음이 누그러졌다.

이제껏 나는 생각만 했을 뿐 단 한 번도 형을 골탕 먹인 적이 없다. 내가 골탕 먹일 새도 없이 형이 사고를 쳐서 이미 어른들한테 혼나기 때문이다.

"너 때문에 내 속이 다 썩는다."

엄마는 형을 혼냈다가도 다음 날이면 안쓰러워하며 형이 좋아하는 음식을 차려 놓고 출근했다. 형은 고기반찬이 없으면 밥은 입에도 안 댔다. 반찬이 없으면 라면을 끓여 먹는 형이 별식을 요구할 때도 있는데, 그건 바로 삭힌 홍어다.

엄마는 전라도 사람이라 그런지 삭힌 홍어를 잘 먹었다. 형은 그런 엄마를 닮았다. 삭힌 홍어를 먹는 날이면 온 집 안에 생선 썩는 냄새가 진동해서 환기를 시켜도 다음 날까지 냄새가 빠지지를 않았다. 삭힌 홍어를 좋아하지 않는 아빠와 나는 코를 잡고 밥을 먹어야만 했다.

"윽! 이건 사람이 먹는 음식이 아냐! 콧속에 식초를 들이붓는 것 같아."

난 호기롭게 홍어 한 점을 입에 넣자마자 곧장 뱉어 버렸다.

"네가 홍어의 깊은 맛을 어찌 알겠냐?"

형은 삭힌 홍어를 먹는 게 마치 특별한 사람만이 할 수 있는 일인 양 잘난 척했다. 어쩌면 엄마 속은 삭힌 홍어보다 더 삭았을지도 모르는데…….

동네를 돌고 오는 사이에 슈퍼 아줌마가 가게 문을 닫으려

밖에 있는 물건을 들여놓고 있었다. 아줌마가 나를 보더니 잠시 주춤했다.

"뭐 살 거 있냐?"

"아뇨."

아줌마는 이내 사과 박스를 들고 가게 안으로 들어갔다. 그때 박스 뒤에 숨어 있던 고양이가 '야옹' 하며 담장 위로 펄쩍 뛰어 올라갔다.

우리 동네는 개보다 고양이가 훨씬 많이 보인다. 그래서 개 짖는 소리보다 고양이 울음소리에 더 익숙하다. 이상한 건 아무리 자주 들어도, 고양이 울음소리는 들을 때마다 놀라게 된다는 거다.

오늘도 동네를 돌다가 고양이를 세 마리나 봤다. 덩치와 색깔이 제각각이었다. 두 마리는 쓰레기 더미 옆에, 한 마리는 담장 위에 올라가 있었다. 모두 경계하는 눈빛으로 나를 노려보았다.

'너희도 사람들과 같이 살려면 익숙해져야지. 그렇게 쳐다볼 필요는 없잖아.'

나는 고양이와 말이 통한다면 대놓고 말해 주고 싶었다.

우리 식구는 다가구 반지하에 산다. 이 집에서는 햇빛마저 비싸게 군다. 안방 창문으로 한낮에만 살짝 비치다 만다. 작은 방과 거실 겸 주방은 불을 켜지 않으면 늘 어슴푸레하다. 반지하니 습하기까지 하다. 가끔 영화 〈배트맨〉에 나오는 악당 펭귄맨이 사는 지하 세계에 갇힌 기분이 들 때도 있다.

엄마는 장난감을 잘 사 주지 않았다. 나는 주로 형이 가지고 놀던 것을 물려받았다. 그래도 생일과 크리스마스에는 새 장난감을 받았다. 형에게 물려받지 못한 것이 두 가지가 있는데 그건 바로 인라인 스케이트와 자전거다. 세발자전거 이후로 형에게 탈것을 물려받은 일은 없다. 그건 바로 형의 직진 본능 때문이었다.

형은 어릴 때부터 끝도 없이 달렸다. 모르는 길이 나와도 무조건 직진이었다. 엄마 걸음으로는 도저히 따라잡을 수 없었다. 결국, 형의 두발자전거는 내가 물려받기도 전에 망가졌다. 그런 형에게 엄마가 오토바이를 사 줄 리가 있겠는가. 나는 형 때문에 손해 본 일이 많다. 단지 나중에 태어났을 뿐인데, 왜 이런 손해를 봐야 하는지 모르겠다.

오토바이를 타는 형의 모습을 처음 본 건, 올봄 새 학기가 시작될 무렵이었다. 난 학교 근처 피시방 앞을 서성대고 있었다.

그때 형이 대로변에서 노랑머리 형의 허리를 붙잡고 오토바이 뒷자리에 앉아 있는 걸 봤다. 웃고는 있지만, 잔뜩 긴장한 얼굴이었다.

노랑머리 형은 우리 형보다 두 살이 많고 중국집 배달 일을 했다. 나는 못 본 척 그냥 지나쳤다. 그런데 어느 날부터 형 혼자 오토바이를 타고 다녔다. 새 오토바이는 아니었지만 제법 비싸 보였다.

형은 엄마 아빠 모르게 오토바이를 우리 집 옆 골목에 세워 놓을 때가 많았다. 하지만 꼬리가 길면 잡히는 법. 어느 날 퇴근하던 엄마에게 들키고 말았다. 엄마는 오토바이가 어디에서 났느냐며 형을 다그쳤다. 하지만 형은 자기 것이 아니라고 할 뿐 제대로 대답하지 않았다.

"영석아, 아무리 공짜래도 넌 절대 오토바이 타면 안 돼! 알았지? 그게 얼마나 위험한데."

"젠장! 사 주지도 않으면서 간섭은."

형은 언제나 당당했다.

엄마는 형의 약속을 받아 내고 싶었지만, 마음대로 되지 않자 한숨만 푹푹 내쉬었다.

형은 작년 가을, 중학교 3학년 때 자퇴를 했다. 그러면서 학교 규칙 따위를 지키고 살기엔 인생이 아깝다는 둥 나라의 교육 정책이 문제라는 둥 어른처럼 말하기도 했다. 내가 보기엔 문제를 일으키는 건 형 쪽이었다. 형은 아이들을 때리고, 지각과 결석도 잦았다.

"또요? 아이고 선생님. 정말 죄송합니다!"

엄마는 담임 선생님한테 연락이 올 때마다 같은 말을 되풀이했다. 때로는 열일 제쳐 두고 학교로 달려갔다. 다녀와서는 하루 종일 축 처져서 밥도 먹지 않았다. 엄마가 형 대신 야단을 맞고 온 것 같았다.

엄마가 머리가 아프다며 진통제를 먹고 벽을 향해 누워 있는 걸 보면 불쌍해 보이기까지 했다.

"철딱서니 없는 형."

동생이라면 철 좀 들라며 진작에 머리를 쥐어박았을 거다.

엄마는 나부터 낳지 왜 형부터 낳아 가지고……. 나는 그럴 때면 엄마가 밥 차리는 것도 힘들까 봐 배에서 꼬르륵 소리가 나도 참았다.

아빠는 형이 초등학생일 때부터 심하게 야단을 치곤 했다. 중학교에 올라간 다음부터는 효자손이나 옷걸이로 때릴 때도 있었다. 엄마가 아빠에게 형이 저지른 일을 일일이 다 말했다간 어디 한군데 부러졌을 수도 있겠다는 생각이 들었다.

한번은 형이 같은 반 아이들한테 휴대폰으로 야동을 보여 줘서 학교가 발칵 뒤집힌 적이 있었다. 처음엔 같은 반 아이들끼리 보던 것이 옆 반 아이들한테까지 넘어가면서 사건은 걷잡을 수 없이 커졌다.

"의리 없는 새끼들, 보여 주니까 좋아할 때는 언제고 이제와 날 꼬질러!"

형은 잘못을 뉘우치기는커녕 선생님한테 일러바친 애들을 원망했다.

담임 선생님은 반성문을 백 장 쓰고 부모님도 모시고 오라고 했다. 하지만 형은 부모님한테 얘기 안 한 것은 물론, 반성문도 제대로 쓰지 않았다.

형은 끙끙대며 흰 종이의 5분의 1을 간신히 채우고는 나를 불렀다

"너, 알바 좀 해라. 이거 아흔아홉 장 베껴 써 주면 만 원 줄게."

"이걸?"

내용은 이랬다.

반 성 문

미래 중학교 3학년 5반 김영석

애들하고 재미로 봤습니다. 다른 애들도 비디오나 휴대폰으로 다운 받아서 봅니다. 이런 건 혼해서 처음 본 애들은 거의 없을걸요. 하여튼 잘못했습니다. 원래 세 명만 보여 준 건데 애들이 퍼뜨려서 그렇게 됐습니다.

나는 이 이상한 내용의 반성문을 보고 대충 감을 잡았다.

"형, 사고 쳤어?"

"이게 무슨 사고라고. 넌 야동 안 봤냐?"

"어……. 사실 저번에 친구 생일 파티 끝나고 다 같이 본 적은 있어."

"그것 봐. 너처럼 어린애들도 다 본 걸 가지고 왜 유난인지 모르겠네."

"그래도 학교에서 보는 건 좀 그렇잖아."

나는 형이 숨어서 봐도 모자랄 판에 왜 조심성 없이 학교에 퍼뜨렸는지 이해가 되지 않았다. 반성문을 대신 베껴 써 주는 것도 찜찜했다.

"안 할래. 꼭 내가 잘못한 것 같잖아."

"치사한 자식! 형이 모처럼 부탁하는 걸 안 들어주다니."

형은 내가 반성문 쓰는 걸 거절하자 곧장 문방구로 갔다.

"할 수 없지. 복사해서 내는 수밖에."

형은 복사본을 선생님께 내고는 이틀 동안 학교를 가지 않았다. 그 일로 담임 선생님이 형을 통제하기가 힘들다며 엄마한테 전화를 했고, 그 바람에 식구들이 모두 알게 됐다.

"이 녀석아, 도대체 뭐가 되려고 그러냐? 그리고 이틀이나 학교도 안 가고 어딜 싸돌아다닌 거야?"

"재미없고 답답해서 그랬어."

"재미로 학교 다녀? 다른 애들은 잘 다니는데 넌 왜 그렇게 삐딱하게 굴어? 너 땜에 속상해 죽겠다."

엄마가 가슴을 치면서 말했다.

"어떻게 사람이 다 똑같아! 이건 학교가 아니라 감옥이야, 엄마. 애들을 사각 시멘트 통에 넣고 뺑뺑이 돌리는데 안 돌고 배겨? 생각만 해도 숨 막힌다고!"

"내 자식이지만 정말 감당이 안 된다. 널 어쩌면 좋니?"

형은 엄마가 아무리 애가 타서 못 견뎌 해도 아랑곳하지 않았다.

"애가 왜 저 모양이야?"

아빠가 은근히 엄마에게 화풀이를 했다.

"낸들 알겠어요. 그놈의 사춘기가 뭔지."

엄마는 모든 원인이 사춘기 때문이라고 생각하는 것 같았다.

"선생님한테 전화해서 말 안 들으면 패라고 해. 저런 녀석은 초장에 버르장머리를 고쳐 놔야 한다고!"

"요즘엔 선생님들도 체벌 안 해요. 괜히 남의 자식 잘못 건드렸다가 큰일 치를 일 있어요?"

"다 몸 사리는 거지 뭐. 책임지기 싫다 이거 아냐?"

"그런 소리 말아요. 부모도 자식 못 이기는데 선생님이 어떻게 해결해 주겠어요? 애들이 우리 때랑 다르듯 선생님들도 예전과 많이 다르다는 걸 알아야죠."

"학교에서 못 잡으면 나라도 잡아야지. 밖에서 욕먹고 돌아다니게 할 순 없잖아."

그 뒤로 아빠는 형이 말썽을 일으킬 때마다 습관처럼 회초리를 들었다.

처음 형이 맞는 모습을 봤을 땐 마치 내가 맞는 것처럼 따끔거렸다. 형이 안 돼 보여 용서해 달라고 울면서 빈 적도 있었다. 하지만 형은 아무리 맞아도 얼굴만 조금 찌푸릴 뿐 꿈쩍하지 않았다.

결국 엄마와 아빠는 형을 이길 수 없었다. 형이 혼난 다음 날은 어김없이 무단결석을 했기 때문이다.

"반항하는 방법도 참 여러 가지다."

아빠는 그 뒤로 형에게 잔소리도 안 하고 때리지도 않았다. 누가 누구를 길들이는 건지 알 수 없었다.

요즘 아빠는 형에 대해 물어볼 것이 있으면 나에게 먼저 물었다. 형한테 직접 물으면 언성이 높아질까 봐 피하고 싶다고 했다.

"사춘기는 도대체 언제 끝나는 거냐?"

"형은 사춘기가 아니라 그냥 세상에 불만이 많은 거야."

나는 푸념하는 아빠에게 간단하게 대답했다. 아빠는 내 말을 듣고 한참 동안 생각하더니 고개를 끄덕거렸다.

엄마는 형이 자퇴해서 학교를 그만둔 뒤에도 교복을 다려서 옷걸이에 걸어 놨다. 그것도 형 방에서 가장 잘 보이는 곳에.

형이 중학교 배정을 받고 교복을 맞추던 날, 엄마는 형의 엉덩이를 토닥이며 이렇게 말했다.

"우리 아들이 벌써 이렇게 컸네, 우쭈쭈."

"창피하게 왜 그래!"

그때도 형은 엄마 손을 치우며 인상을 구겼다.

엄마는 교복을 사러 가서는 직원한테 교복 값이 너무 비싸다고 푸념했지만, 교복 입은 형을 보더니 두말하지 않고 카드를 꺼냈다.

“우리 아들, 교복 정말 잘 어울린다.”

엄마가 형을 보고 그렇게 환하게 웃는 건 처음 봤다. 엄마는 형이 무슨 대단한 일이라도 해낸 듯 기특해했다. 집에 오는 길에는 형이 좋아하는 닭갈비까지 사 줬다.

‘쳇! 중학생은 누구나 되는 거 아닌가? 별것도 아닌 것 가지고…….’

나는 엄마가 유난스럽게 군다고 생각했다.

엄마는 알고 있었을까? 형이 교복을 맞추는 게 그때가 처음이자 마지막일 거라는 걸.

제대로 학교를 다녔다면 지금 고등학생이 됐을 테지만, 형은 아직 중학교 졸업장도 없다.

형은 자퇴를 했어도 여전히 집에 늦게 들어오고, 나는 여전히 심심했다. 다음 주면 형의 열일곱 번째 생일이다. 나는 형 생일 선물로 무엇을 할지 지난달부터 계획 중이었다. 바로 햄스터를 선물하기로 마음먹었던 거다.

형이 햄스터를 좋아하든 싫어하든 상관없다. 사실, 내가 키우고 싶어서 선물하는 거니까. 가장 큰 문제는 엄마가 동물 키우는 걸 싫어한다는 거다. 한동안 강아지를 사 달라고 조른 적이 있는데 엄마는 갖은 핑계를 대며 못 사게 했다.

"엄마, 요즘엔 유기견이 많아서 돈 안 들이고 키울 수 있어."

"돈이 왜 안 들어? 사료비랑 예방 접종비랑 신경 쓸 게 얼마나 많은데. 엄마 친구도 강아지 키우는데 애 키우는 거랑 똑같다더라. 그리고 똥오줌은 누가 치울 건데?"

"그런 건 내가 다 알아서 할게."

"네가 퍽이나 하겠다. 방도 안 치우고 양말도 아무 데나 벗어 놓는 녀석이!"

"잘 키울 수 있다니까, 엄마 제발."

나는 애처로운 눈으로 엄마를 바라보며 졸랐다.

"괜히 유기견이 많이 생기는 게 아니라니까. 아무 생각 없이 데려와서는 병들고 귀찮아지면 버리는 거잖아. 사람들의 그런 이기심 때문에 불쌍한 강아지들만 늘어나는 거라고."

엄마는 오히려 동물 보호 단체에서 나온 사람처럼 장황하게 설명을 늘어놨다.

"그러니까 불쌍한 강아지 한 마리만 데려오자, 응?"

나는 한 번 더 엄마를 졸랐다.

"영진아, 넌 강아지를 책임지기엔 아직 어려. 엄마 일거리 만들지 말고 참아라."

엄마는 단칼에 거절했다.

형 생일날 아침, 우리 가족은 모처럼 함께 모여 미역국과 케이크를 먹었다.

나는 케이크를 먹으면서도 햄스터 생각만 하고 있었다. 그래서 그런지 케이크 맛이 달콤하게 느껴지지 않았다.

'이렇게 조그만 햄스터라면 괜찮겠지? 더군다나 형 생일 선물인데.'

엄마가 햄스터 정도는 어쩔 수 없이 받아들일 거라 믿고, 난 형에게 깜짝 선물처럼 햄스터 상자를 내밀었다.

"받아."

"뭔데?"

형은 의아한 표정으로 박스를 뜯었다.

그때 햄스터 두 마리가 밖으로 나오려고 찍찍대자 형은 놀라서 박스를 떨어뜨렸다.

“이게 뭐야!”

깜짝 선물이 형을 이렇게까지 깜짝 놀라게 할 줄은 몰랐다.

햄스터는 박스에서 탈출해서 구석을 찾아 달렸다. 나는 정신 없이 도망치는 햄스터를 간신히 잡아 도로 박스에 넣었다.

“이렇게 귀여운 걸 보고 왜 놀라?”

“그딴 거 너나 가져.”

형은 햄스터 따윈 관심 없다는 듯 거들떠도 안 보고 엄마 아빠에게 용돈을 타서 나갔다.

“것 봐. 잰 선물보다 돈이라니까.”

아빠가 선물 준비 안 한 걸 다행이라는 듯 말했다.

“그러게요. 괜히 고민했네요.”

엄마는 홀가분하다면서 식탁을 치웠다. 그리고 형의 생일 선물이라는 명목 아래 내가 햄스터 키우는 걸 암암리에 인정했다. 난 그것으로 충분했다. 하지만 문제는 항상 예기치 않은 곳에서 벌어지기 마련이었다.

이후로 나는 햄스터 집을 사기 위해 용돈을 쓰지 않고 꼬박꼬박 모았다. 준비물을 산다거나 문구류가 떨어졌다고 핑계를 대 용돈을 더 타기도 했다. 그런데 며칠 사이에 햄스터는 급속도로 커졌고, 내가 학교에 가고 없는 사이에 종이 박스를 뚫고

탈출해 버렸다. 다행히 한 마리는 부엌에서 찾았는데 한 마리는 못 찾았다.

멀리 못 갔으리라 생각하고 집 안을 샅샅이 뒤졌다. 손전등을 켜고 가구 밑에서부터 장롱 속까지 천장을 빼곤 다 살펴봤다. 진땀이 날 정도로 애를 썼지만 도저히 찾을 수가 없었다. 그런데 저녁 즈음 나는 죽은 햄스터와 마주했다.

햄스터는 방에 펴 놓은 이부자리에 깔려 죽어 있었다. 내가 왔다 갔다 하면서 이불 밑에 숨어 있던 햄스터를 밟았던 것이다. 기가 막혀서 눈물도 나오지 않았다.

햄스터를 봉투에 담아 공터에 있는 느티나무 밑에 묻었다. 나뭇가지로 흙을 덮으면서 다음에 태어날 땐 새로 태어나서 훨훨 날아다니길 빌어 줬다.

그날 밤 햄스터에게 미안해져 잠이 오지 않았다. 남아 있는 햄스터 한 마리를 멍하니 바라보았다. 결국, 다음 날 햄스터를 사 왔던 대형 마트로 가서는 남은 햄스터를 되돌려 주고 왔다.

식구들은 잠시이긴 하지만 같이 살았던 햄스터 두 마리가 사라졌는데 아무것도 묻지 않았다. 나에 대한 무관심이 내가 키우는 동물한테까지 옮아 간 건가……. 나도 형처럼 삐딱해져 버릴까?

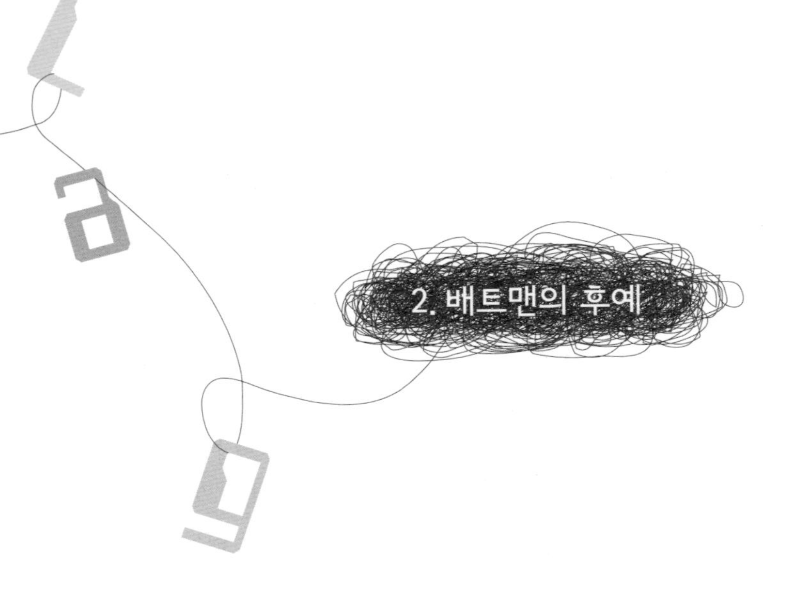

2. 배트맨의 후예

형은 생일이 지나자마자 원동기 면허를 따서 엄마에게 당당하게 내보였다. 나는 만 16세가 지나면 면허증을 딸 수 있다는 걸 처음 알았다. 형의 면허증에서 빛이 났다. 면허증 하나로 파일럿이라도 된 것처럼 빼기는 형이 은근히 부러웠다. 그동안 형은 주행 연습을 하도 많이 해서 면허증 따는 건 일도 아니었을 거다.

"이제 나도 면허증 있으니까 오토바이 타는 거 가지고 뭐라 하지 마."

경고하듯 말하는 형이 약간 건방져 보이기까지 했다.

"면허증이 문제니? 위험해서 그러지."

엄마는 염려했던 일이 현실로 닥치자 형을 안타깝게 바라보았다.

형은 면허증을 내 눈앞에 들이댔다.

“이 형님은 이제 어디든 마음대로 다닐 수 있게 됐다.”

형은 어깨에 힘을 잔뜩 주고 말했다. 이제부턴 내놓고 오토바이를 탈 속셈이 보였다.

처음엔 형이 들고 있는 오토바이 면허증이 내겐 마치 소원을 이뤄 주는 마법 카드처럼 보였다. 하지만 형이 그걸로 할 수 있는 일은 고작 배달 일이었다. 배달 아르바이트로는 몰래 산 중고 오토바이 할부금 갚기도 빠듯해 보였다.

오늘도 형은 검은 점퍼를 입고 오토바이를 타고 나갔다. 낮에는 짜장면 배달을 하지만 밤에는 나쁜 놈들을 물리쳐야 한다고 했다.

형이 오토바이를 타는 걸 보면 정말 멋져 보인다. 하지만 대놓고 멋있다고 말한 적은 없다. 형이 허풍 떠는 수준은 금메달감이기 때문이다.

“야, 집에 오다 골목에서 깡패들이 무더기로 덤비기에 완전 쓸어버렸다.”

“혼자서?”

"내가 누구냐? 배트맨의 후예 아니냐."

형은 늦게 들어오는 날이면 정의의 사도라도 되는 것처럼 더 으스댔다.

형은 가끔씩 친구들을 집으로 데려왔는데, 전부 학교를 자퇴했거나 배달 일을 하는 친구들이었다. 그 형들은 나를 귀엽다고 볼을 잡아당기거나 역도 선수처럼 한번 들어 올렸다가 내려놓기도 했다. 게다가 우리 형처럼 나한테 꼬맹이라고 부른다. 하나같이 날라리 똥꼬처럼 생겨 가지고.

나는 형 친구들이 마음에 들지 않았다. 하지만 한 번도 싫은 내색을 한 적은 없다. 이유는 형들한테 잘 보여서라도 오토바이를 타 보고 싶기 때문이다.

형한테 몇 차례 떼써 본 적이 있다.

"형, 딱 한 번만 태워 주라. 응?"

형은 그때마다 조건을 걸었다.

"라면 끓여 오면 태워 주지."

"정말이야?"

나는 부리나케 라면을 끓여다 바쳤다. 하지만 형은 금세 또 다른 심부름을 시켰다.

"양말 좀 벗겨 줘."

"이번만이야."

나는 마지못해 시키는 대로 하고 형 옆에 바짝 붙어 앉았다. 그러고는 형의 팔을 붙들고 재촉했다.

"이제 오토바이 타러 나가자! 약속했잖아."

"그래, 태워 줄게. 잘 타라. 뿌부붕 뿌우웅."

"아, 진짜!"

"엔진 소리 죽이지?"

형은 매번 방귀를 뀌고 도망쳐 버렸다. 그것도 내 코앞에다 엉덩이를 들이대고서. 마음 같아서는 그때마다 엉덩이를 걷어 차 버리고 싶었다.

형 친구들이 우리 집에 오면 좋은 점도 있었다. 그건 바로 치킨을 시킨다는 것이다. 내가 치킨을 맘껏 먹을 수 있는 유일한 기회이기도 했다.

엄마 아빠가 출장을 가거나 집안일로 멀리 갔을 때면, 형과 친구들은 그 틈을 놓치지 않고 야한 영화를 보기 위해 모였다. 그러고는 치킨을 시키면서 생맥주도 함께 시켰다. 형은 아직 미성년자라 그렇게 배달을 시키면 주민증을 확인하지 않아 좋다고 말했다.

형 친구 중에는 형보다 두 살 많은 노랑머리 형과 앞머리만 초록색으로 염색한 동갑내기 형이 있는데, 둘 다 머리만 보면 앵무새를 보는 것 같다. 어쩌다 오는 팔뚝에 문신한 형이 나이가 가장 많았다.

문신한 형이 남달라 보이는 건 문신 때문만이 아니었다. 머리를 짧게 깎은 데다 뒤통수를 고속도로처럼 두 줄로 밀었다. 또한 손에 낀 해골 반지를 보면 유명한 록커 같기도 했다. 팔에 새긴 문신도 독특했다. 한쪽 팔엔 '날 좀 내버려 둬'라고 새겼고 다른 한쪽 팔엔 영어로 'MERRY CHRISTMAS'라고 새겨놨다.

그 형은 배를 타고 세계 일주 하는 게 꿈이라고 했다. 그래서인지 막노동부터 갈빗집 서빙, 전단지 돌리기, 헬스 트레이너까지 돈 되는 일이라면 안 해 본 게 거의 없다고 했다. 형 친구 중에 유일하게 내게 용돈을 준 사람이기도 했다.

"타투 형은 왜 안 와?"

나는 문신한 형이 안 보이면 꼭 물었다.

"중국 갔어."

"거긴 왜?"

"중국 관광객 끌어모으러."

"관광객을 끌어모아 뭐하게?"

"우리나라로 데리고 오는 거지. 중국엔 우리나라에서 성형하고 싶어 하는 여자들이 많아서 돈벌이가 된대. 다음엔 태국으로 간다더라."

그 소식을 전해 듣고 역시 타투 형은 통이 크다고 생각했다. 그 옆에 있는 우리 형은 스케일이 작아도 너무 작아 보였다.

'기껏 원동기 면허증 따서 동네 배달 일이라니…….'

나는 혀라도 차고 싶었다.

학교에서 장래 희망을 적어 오라고 숙제를 내 준 적이 있다. 난 고민 끝에 파일럿이라고 적었다. 이유는 새처럼 날고 싶어서라고 썼다. 갑자기 형 꿈도 궁금했다.

"형은 꿈이 뭐야?"

"꿈?"

형이 되물었다.

"없지?"

난 약간 비아냥거리며 물었다.

"꿈 없는 사람이 어딨냐? 이 몸은 나중에 배트맨의 후예답게 경찰이 될 몸이시다."

"치, 경찰한테 잡혀가지나 마."

난 코웃음을 치며 저번에 경찰이 찾아온 얘기를 꺼냈다.

"짜식아, 그건 날 잡으러 온 게 아니라 그냥 조사하러 온 거 아냐!"

형은 기분 나쁜지 내 머리를 콕 쥐어박았다.

사실 난 형이 짜장면을 배달하면 중국집 사장이 될 것 같고, 피자를 배달하면 피자집 사장이 될 것 같다. 폼은 경찰을 해도 어울리겠지만, 이제껏 본 형의 행동은 경찰과는 전혀 어울리지 않으니 상상하기도 어려웠다.

형 친구들은 모이면 밤늦도록 수다를 떨었다. 난 남자들이 그렇게 말을 많이 하는 건 처음 본다. 평소 우리 집은 엄마만 없으면 절간처럼 조용하다. 물론 형이 야단맞는 날만 빼고 말이다.

아빠와 형은 사이가 벌어진 뒤에는 집 안에서 마주쳐도 유령처럼 스쳐 지나간다. 밥도 일부러 따로 먹는다.

우리 형과 같이 중국집 배달 일을 하는 노랑머리 형은 누더기처럼 찢어진 청바지를 입는다. 목소리도 갈라지는 허스키 보이스다. 그 형 목소리에선 쇳소리가 난다.

"야, 그 뚱땡이 주방장 말이야. 지가 무슨 소림사 주방장인 줄 안다니까. 오늘은 칼을 휙휙 휘두르면서 중국 요리의 진수를 보여 주겠다는 거야."

노랑머리 형은 칼 휘두르는 시늉을 하며 말했다.

"정말 재수 없는 놈이야. 저번엔 기어가는 바퀴벌레를 보더니 중국에선 잡아서 튀겨 먹었다면서 나한테 먹어 보라는 거야. 나 참 어이가 없어서."

우리 형도 주방장 얘기가 나오자 할 말이 많은 것 같았다.

"정말? 그래서 먹었어?"

나도 깜짝 놀라 형들의 대화에 끼어들었다. 형은 꼬맹이는 일찍 자라며 옆방으로 몰아내려고 했다. 그렇다고 순순히 나갈 내가 아니었다. 나는 끝까지 버티며 형들 얘기를 들었다.

"우리 셰프는 더 웃겨. 자기가 이태리에서 공부했다고 피자 구우면서도 이태리 말을 얼마나 섞어 쓰는지 몰라. 손님들한테 본조르노~ 본조르노~ 하면서 느끼하게 웃는 꼴이라니, 정말 못 봐주겠어. 그러면서 틈만 나면 나보고 외국어 공부 좀 하라고 닦달한다."

초록색 앞머리를 한 형도 덩달아 셰프 흉을 봤다.

"그럼 넌 뭘 조르노~ 목 조르노? 대꾸하면 되겠네. 하하하!"

형들은 낄낄대면서 피자집 셰프와 중국집 주방장 흉을 봤다. 그래서인지 집에 모여서도 피자나 중국 요리는 절대 시키지 않았다. 난 피자와 탕수육이 제일 먹고 싶은데 말이다.

분위기가 얼추 무르익으면 빠지지 않는 것이 여자 이야기였다. 특히 노랑머리 형은 여자 친구와 헤어진 지 얼마 되지 않아서 그런지 옛 여자 친구 원망을 많이 했다.

"내가 얼마나 잘해 줬는데. 어떻게 날 버리고 가 버릴 수가 있냐! 니들이 보기에도 우리가 그 정도밖에 안 되는 사이였냐?"

"또 그 얘기야? 내가 보기에 걔가 널 이용한 거야. 나쁜 계집애라니까."

우리 형이 맞장구를 치며 덩달아 헤어진 여자 친구 욕을 했다. 그러자 노랑머리 형이 갑자기 형 멱살을 잡았다.

"야, 내가 욕하는 건 괜찮지만 너까지 욕하면 안 되지! 기분 나빠진다고!"

"칫! 아직도 그 여자한테 미련이 있나 보네."

형은 노랑머리 형의 손을 풀더니 어이없다는 듯이 옷을 탈탈 털었다.

"걔는 분명 다시 돌아올 거야. 나는 그렇게 믿어."

노랑머리 형은 그새 여자 친구가 보고 싶은지 뒤돌아서 훌쩍거렸다.

"여자가 지조가 있어야지. 내 여친 봐라. 나밖에 모르잖냐."

앞머리가 초록색인 형은 대놓고 여자 친구 자랑을 했다.

"지랄한다. 네가 하도 선물을 쏟아부으니 마지못해 만나 주는 거 아냐?"

우리 형이 쓴소리를 보탰다.

"무슨 소리야? 걘 선물 같은 거 바라는 애가 아니야. 순수하게 날 좋아하는 거지."

"웃기는 소리하지 마. 이번 달 월급 가불해서 걔한테 쓴 거 다 알거든."

"그건 내가 해 주고 싶어서 그런 거고. 걔가 바란 적은 없다니까."

초록머리 형은 끝까지 우겼고 우리 형은 마지못해 져 줬다.

나는 형들이 하는 얘기를 듣다 웃기도 하고 함께 심각해지기도 했다. 그러다 형들이 나를 끝내 내보낼 때가 있는데 그건 야한 영화를 볼 차례가 되었다는 뜻이다.

나도 보고 싶은데 특히 우리 형이 못 보게 막곤 했다.

"나도 다 알아. 소리 다 들리거든."

나는 별거 아니라는 듯 말했지만 형한테는 안 먹힌다.

"야, 너처럼 어린애가 야한 거 많이 보면 머리 나빠져. 넌 가서 공부나 해."

형은 자기가 어른이라도 된 듯 엄하게 말하고 문을 걸어 잠근다.

딴 방에 있어도 형들의 킥킥거리는 소리가 나면 귀가 형 방을 향해 커지곤 했다.

형들은 술에 취해 비틀거릴 때도 있었고, 때론 음악을 크게 틀어 놓고 따라 부르기도 했다. 위층에서 시끄럽다며 쫓아 내려온 적도 있었다. 그런데 그날은 엄마한테 딱 걸린 것이었다.

"누가 너한테 돈 벌라고 했어? 배달 일 당장 그만두지 못해!"

"내가 좋아서 하는 일이야."

"너만 좋으면 되는 거야? 못된 애들이랑 어울려 못된 짓이나 하고. 거기다 술까지 마시고. 잘하는 짓이다."

"내 친구들이 어때서? 열심히 사는 아이들이니까 함부로 욕하지 마."

형은 친구들을 대놓고 무시할 때 더 발끈했다.

"엄마가 잔소리하면 할수록 난 집이 싫어진다고!"

"나는 어떻고. 네가 오토바이 타고 나갈 때마다 심장이 벌렁거려. 학교도 안 다니고 왜 위험한 짓을 하는 거야? 그리고 넌 아직 미성년자야. 어른 말도 필요할 땐 들어야지!"

엄마 목소리가 점점 커지자 형 친구들이 슬그머니 자리를 피했다. 곧이어 형도 씩씩거리며 뒤따라 나갔다.

현관문이 꽝! 하고 닫혔지만 엄마는 끝까지 형 뒤에 대고 소리쳤다.

"이놈의 자식아, 속 좀 어지간히 썩여라!"

엄마는 한숨을 쉬며 어질러진 방을 치웠다.

난 그런 엄마를 보면 덩달아 한숨이 나왔다. 집 밖으로 나오자 아빠가 걸쭉하게 취해서 터벅터벅 걸어오고 있었다. 손에는 까만 비닐봉지가 들려 있었다. 봉지 안에는 과일이 들어 있을 것이다. 아빠는 술을 마시고 들어올 때면 언제나 엄마가 좋아하는 과일을 사 왔다.

나는 얼른 골목 귀퉁이에 숨었다. 아빠를 반갑게 맞아 주고 싶은 마음이 술 냄새에 날아가 버렸다.

아빠는 요즘 이틀에 한 번 꼴로 술을 마셨다. 밖에서 마시지 않은 날은 집에서라도 마셨다.

"큰 아들놈이 저 모양이니 사는 낙이 없어, 휴!"

아빠는 술을 마시면서 형을 핑계 삼아 신세 한탄을 했다.

"으이그, 꼰대!"

형은 아빠가 술주정을 하면 방 안에서 꼰대라고 불렀다. 나 역시 우리 식구가 모두 마음에 드는 건 아니다. 그렇다고 이 모든 것이 누구 때문이라고 원망하고 싶진 않았다.

내가 바라는 건 우리 집이 좀 더 잘살았으면 좋겠고, 내가 공부도 잘하고, 뛰어난 특기가 한두 가지 정도는 있었으면 좋겠고……. 그리고 잘생겼으면 하는 거다. 그야말로 누가 봐도 멋진 사람.

요즘 나에겐 비밀이 하나 생겼다. 내가 누군가를 좋아하게 됐다는 거다. 그 애를 보면 가슴이 두근거리고 어딘가에 숨어서 계속 바라보고만 싶다. 그 애 앞에선 최고로 멋진 남자가 되고 싶은 것이다.

그 주인공은 작년에 같은 반이었던 은비다. 4학년까지만 해도 관심 밖이었는데 5학년이 되고부터 눈에 들어오기 시작했다. 은비는 바로 옆 반이 되었다. 처음에 복도에서 만나면 낯설지 않아서 손을 가볍게 흔드는 정도였다. 그런데 시간이 갈수록 그 애가 자꾸 떠올랐다.

은비가 운동장에 있으면 그 애가 밟고 있는 모래알까지 알알이 반짝였고, 복도에서 마주치면 기다란 복도가 레드 카펫이라도 깔린 것처럼 특별한 장소로 변했다.

은비는 몇 달 새 키도 크고 머리도 길었다. 웃는 모습은 왜 그리 예쁜지. 생각해 보니 은비는 그림도 잘 그리고 공부도 잘했다. 정말이지 못하는 게 없는 은비. 내 눈엔 너무도 완벽한 그녀였다.

말을 걸고 싶은데 특별한 이유 없이 다가갈 수도 없었다. 너무 보고 싶을 땐 쉬는 시간에 은비네 반을 기웃대기도 했는데 다른 애들이 이상하게 생각할까 봐 신경이 쓰였다.

'은비도 나를 좋아할까? 제발 좋아했으면 좋겠다.'

나는 매일 기도라도 하듯 은비와 엮일 기회를 엿봤다.

그나마 희망을 갖는 건 은비가 나를 만나면 언제나 미소를 짓는다는 거다. 어젯밤엔 꿈속에 나타났는데 누구라도 붙들고 자랑하고 싶어 입이 간질거렸다.

답답한 마음에 사랑하고는 거리가 멀어 보이는 아빠에게 넌지시 물어봤다.

"아빠 엄마 언제 처음 만났어?"

"음, 그게 말이야. 아빠는 집이 어려워서 일찌감치 사회생활을 시작했거든."

"몇 살 때 만났냐니까?"

어른들은 왜 묻는 말에 단답형으로 대답해 주지 않을까? 나는 아빠의 곁다리 얘기가 길어질까 봐 재촉했다.

"그건…… 어린 나이에 엄마를 보고 첫눈에 반해서 말이다. 좀 사귀다 군대 갔다 와서 결혼을 결심했지."

아빠는 뜸을 들이면서 아주 천천히 말했다.

"큭큭! 엄마가 첫사랑이네. 많이 떨렸어?"

난 아빠가 엄마를 보고 긴장했을 거라고 생각하자 웃음이 나왔다.

"원래 좋아하는 사람이 생기면 떨리는 거야. 그런데 왜 갑자기 그런 걸 묻고 그래? 너 혹시 좋아하는 애라도 생겼냐?"

아빠는 약간 놀리듯 실실 웃으며 내게 물었다. 아빠의 갑작스런 질문에 나는 어찌 대답해야 할지 몰라 허둥댔다.

"당황하는 거 보니 진짠가 보네."

"그게 아니라……."

난 속마음을 들켜 버린 것 같아 방으로 휙 들어가 버렸다.

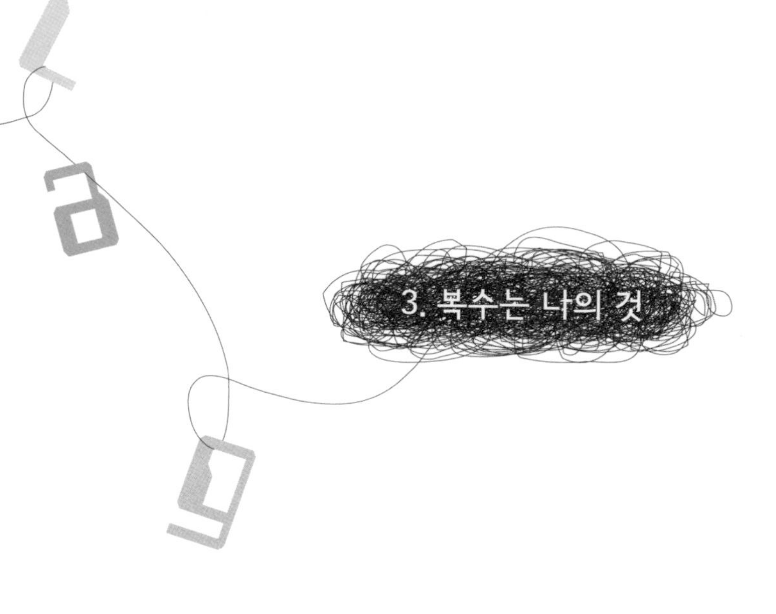

3. 복수는 나의 것

수업 시간에 깐죽이 명수 녀석이 의자를 툭툭 쳤다. 내 뒷자리에 앉는 명수는 지루해지면 수업 도중에도 장난을 쳤다. 때론 쪽지를 건네기도 하는데 읽어 보면 유치하기 짝이 없었다.

주로 선생님 코털이 삐져나왔다는 둥 오리궁둥이 숨기려고 똥바지를 입고 왔다는 둥 시시껄렁한 이야기가 대부분이었다. 오죽하면 별명이 깐죽이겠는가? 누구에게나 깐죽대며 약 올리고 시비 거는 게 취미인 애다. 다른 사람 기분이나 입장 같은 건 전혀 신경 쓰지 않는.

깐죽이 녀석은 오늘도 내 등 뒤에 머리를 바짝 대고는 속삭이기 시작했다.

"너 머리 안 감았지? 머리 냄새가 너무 나는걸. 윽! 이게 뭐야. 이가 기어가고 있어."

내가 화를 낼 때까지 깐죽거리려는 것이다. 그러다 내가 소리라도 지르면 선생님 눈에 띌 거고, 그럼 같이 혼나면서 그럭저럭 남은 수업 시간을 때울 속셈인 듯 보였다.

나는 화를 꾹 참았다. 그런데 갑자기 등을 샤프로 콕콕 찔렀다. 젠장! 나는 참다 못해 "야!" 하고 소리를 질러 버렸다.

"누구야?"

선생님이 칠판에 글씨를 쓰다 말고 휙 돌아봤다.

반에 있는 모든 눈동자가 나를 향했고 나는 자리에서 일어나야만 했다.

"무슨 일이야? 설마 나한테 '야!'라고 소리친 건 아니겠지?"

선생님이 다가와 인상을 쓰며 물었다.

"뒤에서 명수가 샤프로 찔렀어요."

"뒤? 너 일어나 봐."

깐죽이 녀석이 일어났다.

"왜 앞사람을 찔렀는지 말해 봐. 딱 10초 준다."

선생님은 마치 군인처럼 말했다.

"머리 냄새가 심하게 나서 그랬습니다."

깐죽이 녀석도 군기가 바짝 든 훈련병처럼 대답했다.

선생님은 내 머리에 코를 갖다 대며 냄새를 맡았다.

"음, 제법 구수한 냄새가 나는군."

선생님의 말 한마디에 교실은 웃음바다가 되었다. 책상을 치며 과하게 웃는 애들도 있었다.

"넌, 내일은 머리를 감고 오길 바라고. 넌, 샤프로 찌른 것에 대해 사과해라. 사과에는 상대가 원하는 보상이 따른다. 알았지?"

선생님은 한 사람씩 가리키며 지시했다.

"네."

"자, 다시 책을 보도록."

선생님은 깐죽이 녀석에게 직접 벌을 주지 않고 쉽게 끝내 버렸다. 내가 머리를 감지 않았다는 사실만 널리 알린 셈이 되었다.

수업이 끝나도 깐죽이 녀석은 사과는커녕 "머리에 이 기어간다. 우웩! 된장 냄새!" 하며 깐죽거렸다. 마음 같아서는 학교 뒤로 끌고 가서 흠씬 두들겨 패 주고 싶었지만 오늘은 참기로 했다. 나까지 문제아로 낙인찍히고 싶진 않으니까. 조용히 그 녀석 하나만 골탕 먹일 방법을 찾는 게 나을 것 같았다.

깐죽이 녀석과의 인연은 2년 전으로 거슬러 올라간다. 그 녀석과는 3학년 때도 같은 반이었다. 그 녀석은 부산에서 전학을 왔고 난 그 녀석의 꾀죄죄한 모습이 싫었다. 짝꿍만 아니었어도 그렇게 싫지는 않았을 것이다. 아이들은 그 녀석이 전학 온 첫날, 자기소개를 할 때부터 웃었다. 이름이 박명수였기 때문이다.

"어떻게 개그맨 이름하고 똑같냐?"

"웃겨 봐."

애들은 그 녀석 이름 가지고 한참을 놀렸고 나 역시 그중 하나였다. 그때는 별명이 그냥 개그맨이었다. 깐죽이라는 별명은 최근에 붙은 이름이다.

아이들이 명수를 놀린 건 이름 때문만은 아니었다. 명수가 말을 할 때마다 튀어나오는 억센 부산 사투리 때문이었다.

명수도 처음에는 낯을 가렸다. 지금의 모습과는 완전 딴판이었다. 지금 생각해 보면 낯선 환경 속에서 자기를 놀리는 아이들과 쉽게 친해지기 힘들었을 것이다. 내가 짝꿍이었던 몇 주 동안에도 두세 마디 나눈 게 전부였다.

명수가 "니 이름은 뭐꼬?" 하고 물으면 난 "뭐꼬가 뭐야?"라고 되물었고, "슨생님은 무신 말을 저리 빨리 하노?" 하고 말하면 "넌 통역사가 필요하겠구나." 하고 답했다.

짝꿍이긴 했지만 친한 친구가 되긴 어려웠다.

나는 명수의 말을 잘 못 알아들었을 뿐 아니라 도와주고 싶은 마음도 없었다. 친구들과 어울리는 자리에 명수를 끼워 주지도 않았다. 그 덕분에 명수는 우리 반에서 외계인처럼 떠다녔다.

한번은 참다못한 명수가 계속 쫓아다니며 놀리는 아이의 멱살을 붙잡고 말했다.

"니 그카다 내한테 죽는데이!"

명수 눈빛이 예사롭지 않았다.

"알았어, 알았다고."

붙잡힌 아이는 작은 목소리로 떨면서 대답했고 다신 명수 옆에 얼씬거리지 않았다. 명수는 마치 영화에서 본 부산 깡패 같았다. 그 일 이후 다른 애들도 점차 명수를 놀리지 않게 되었다. 하지만 새 학년이 될 때마다 "개그맨 박명수가 떴다!" 하면서 관심을 한 몸에 받았다.

그런데 올해 5학년이 돼서 같은 반이 되고 보니 명수는 변해 있었다. 그것도 아주 재수 없는 깐죽이로. 사투리도 거의 쓰지 않았다. 그렇게 애들이 놀리는 걸 싫어하더니 이상하게 변해 버린 녀석이 낯설게 보였다.

우리 반엔 깐죽이만큼 재수 없는 놈이 또 한 명 있다. 그 녀석은 부잣집 도령으로 통하는 허 서방 허현민이다.

깐죽이와 허 서방을 저울로 달아 보면 아마 똑같은 분량의 재수덩어리가 나올 것이다.

허 서방은 오늘도 명품 가방을 짊어지고 학교로 납시었다. 우리 동네 허만철 치과 외아들이란 걸 모르는 사람이 없을 정도였다. 허만철 치과는 동네에서 치료비가 싸기로 유명하다. 형과 나도 충치 치료를 하러 간 적이 있다.

"우리 아빠가 서울대 나와서 실력이 좋아. 외국 사람들도 소문 듣고 우리 아빠를 찾아온다니까."

허 서방은 치과 홍보 사원이라도 되는 듯 학교에 와서도 가끔 아빠 자랑을 한다. 치아가 썩거나 삐뚤삐뚤한 아이들은 허 서방에게 교정이나 치료 비용을 물어보기도 했다. 때론 선생님도 허 서방을 살짝 불러 무슨 의논 같은 걸 하곤 했다.

'아빠가 의사지 지가 의산가?'

나는 그 녀석의 거들먹거림이 맘에 들지 않았다. 그 녀석은 아빠의 배경뿐만 아니라 엄마가 높은 자리에 있는 공무원이라 그런지 자랑질을 서슴지 않았다.

"엄마가 유학 가라고 하는데 고민이다. 너희들도 알다시피 우리 집이 좀 살잖니."

"또 금수저 자랑 시작이로군."

아이들은 대놓고 비아냥거리거나 토하는 시늉을 하기도 했다. 어쩌다 부러워하는 아이들도 있긴 한데 대부분 여자아이들이다.

"넌, 공부도 잘하고 부모님이 팍팍 밀어 줘서 좋겠다."

"뭘 이 정도 가지고. 히히."

솔직히 말해 허 서방은 집안이나 외모뿐 아니라 실력까지 뭐 하나 빠지는 게 없었다. 싸가지 없는 것만 빼고는 다 갖춘 셈이었다. 그뿐 아니다. 하굣길에 같이 가는 친구가 있으면 어김없이 지갑을 열어 간식을 사 주었다. 나도 몇 번 얻어먹은 기억이 있다.

허 서방 지갑에는 늘 돈이 빵빵하게 채워져 있었다. 나처럼 허 서방을 맘에 들어 하지 않는 아이들도 간식을 얻어먹기 위해 빌붙는 것을 보면 가진 자의 파워가 느껴지기도 했다.

웃기는 건, 그 녀석은 친구들에게 떡볶이나 꼬치 같은 걸 사 주고는 아이들이 허겁지겁 먹고 있으면 늘 이렇게 말하는 것이었다.

"짜식들! 많이 배고팠구먼."

마치 어른이 아이들을 내려다보며 하는 말 같은, 아니 애완견에게 먹이를 주며 하는 말과 비슷한 말투였다.

저번에는 어묵을 먹고 있는데 내 머리를 쓰다듬으며 이렇게 말했다.

"천천히 먹어. 더 시켜 줄게."

젠장! 그건 엄마한테나 듣던 말이었다.

기분이 상해 뱉어 버리고 싶었지만 왠지 나 혼자 튀는 것 같아 참았다.

우리 반 아이들은 대부분 허 서방을 부러워함과 동시에 한번쯤 그 녀석이 징징거리며 힘들어하는 모습을 보고 싶어 했다. 그 녀석이 우리에게 해를 끼친 일은 없지만 한 차원 위에 있는 사람처럼 행동하는 것에 대해 배알이 꼬이는 부분이 있었다.

깐죽이나 허 서방이나 둘 다 우리 반을 대표하는 인물인 건 분명하다. 하지만 아이들은 대부분 깐죽이한텐 대놓고 적의를 나타내고 허 서방에게는 앞에선 따르는 시늉을 하다 뒤에서 헐뜯었다. 어찌됐든 나 역시 둘 다 주는 것 없이 미운 재수탱이

들이라 생각한다.

한 번쯤 깐죽이와 허 서방을 동시에 골탕 먹이고 싶었는데 그 기회가 오늘에서야 찾아왔다.

체육 시간에 선생님이 교실에서 농구공을 가져오라고 했다. 키가 작은 나는 항상 맨 앞줄에 서는 터라 선생님 심부름을 자주 했다.

교실로 들어가자 아이들이 빠져나간 자리가 유난히 어수선했다. 책상은 삐뚤빼뚤하고 곳곳에 쓰레기가 버려져 있었다. 아이들이 꽉 차 있을 때는 몰랐던 묘한 쓸쓸함마저 감돌았다.

난 공용 사물함에서 농구공을 꺼냈다. 그러고서 서둘러 나오려는데, 뭔가 내 눈을 사로잡았다. 그것은 허 서방이 아침부터 자랑하던 아이패드였다.

"칠칠맞은 녀석."

아이패드는 허 서방 가방 밑에 떨어져 있었다. 난 상관 않고 돌아서려다 멈칫했다. 아이패드를 깐죽이 가방에 넣고 싶은 강한 충동이 느껴졌다. 계획에 없던 일이 순간적으로 떠오르자 나 자신도 약간 당황스러웠다.

'깐죽이는 누명을 쓸 테고……. 그럼 깐죽이가 너무 불쌍한

가?'

난 잠시 망설였다. 그러다가 공평하게 깐죽이 물건을 허 서방 가방에 바꿔 넣기로 했다.

깐죽이 책상은 의외로 깨끗했다. 책상 속을 보니 책과 필통뿐이었다. 서둘러 가방을 뒤졌다. 심장이 쿵쾅거리고 손이 떨렸다. 하지만 긴장한 거에 비해 쓸 만한 게 하나도 없었다.

"촌스런 새끼. 건질 게 하나도 없네."

나는 투덜대는 여유까지 부렸다.

가져갈 게 없다는 게 이렇게 마음을 편하게 만들 줄 몰랐다. 그래서 도둑들도 가난한 집에 가면 오히려 도와주고 싶은 마음이 드는 걸까?

난 마치 의적이라도 되는 양 허 서방의 최신 아이패드를 깐죽이 가방에 넣고 깐죽이의 낡아빠진 필통을 허 서방 가방에 넣었다.

기분이 야릇했다. 이건 장난이라고 하기엔 너무 센 일이었다.

'젠장! 모르겠다.'

더 이상 머뭇거릴 시간이 없었다.

농구공을 들고 서둘러 교실을 빠져나와 운동장을 향해 뛰었다. 나쁜 짓을 한 건 분명한데 한편으로는 통쾌했다. 나는 시치미를 떼고 농구공으로 장거리 슛을 여러 차례 시도하며 체육 시간을 아주 잘 보냈다. 비록 농구 골대만 툭툭 건드리고 끝난 어설픈 슛이었지만.

체육 시간이 끝나자 남자애들은 부산스럽게 운동장 세면대로 가서 세수부터 했다. 여자애들은 신발의 먼지만 툭툭 털어내고는 먼저 교실로 들어갔다. 언제나 그렇지만 선생님들은 체육 시간 다음 수업을 가장 꺼린다. 함께 땀 흘린 사람은 잘 모르지만 다른 곳에 있다가 들어오면 말로 표현할 수 없는 땀 냄새가 진동하고 아이들의 흥분이 채 가라앉지 않아 어수선하기 때문이다.

수업 시작 전 선생님들 하는 말도 똑같다.

"창문 열어라!"

어떤 선생님들은 1, 2, 3학년 교실에서는 아기 분 냄새가 나고, 4학년부터 서서히 변하다 5, 6학년 교실에 오면 혈기왕성한 놈들 때문에 코부터 막아야 한다고 했다.

"너희가 뿜어내는 페로몬 냄새 때문에 숨을 못 쉬겠다."

선생님은 창가에서 심호흡을 크게 한번 했다.

"페로몬 냄새가 뭐예요?"

아이들은 눈을 동그랗게 뜨며 질문을 했고 선생님은 사람이 되어 가는 냄새라고 대답했다.

'그럼 아직 우린 사람이 아니란 말인가?'

의심이 생겨서 다시 묻고 싶을 즈음 선생님은 또 이렇게 말했다.

"어른 사람이 돼 가는 냄새니까 친구들한테 냄새 난다고 이상하게 생각하지 말라는 뜻이야."

난 어른 사람이란 말에 잠시 내가 어린애와 어른 사이에 걸쳐진 느낌이 들었다. 그때 내 뒤에서 깐죽이가 뭔가를 찾고 있었다. 난 선생님 얘기에 집중하느라 체육 시간에 물건을 바꿔치기한 걸 깜빡 잊고 있었다.

"이상하다. 도대체 어디 간 거야?"

깐죽이가 한참을 구시렁거렸다. 그제야 난 깐죽이 필통을 허서방 가방에 넣은 일이 떠올랐다.

"야, 연필이나 샤프 남은 거 있으면 빌려 주라."

깐죽이는 짝꿍에게 연필을 빌려 썼다. 난 뒷자리에 앉은 깐죽이가 신경 쓰여 수업에 집중하기 힘들었다. 그렇게 한참 수학 수업이 진행되고 있을 때 또 한 차례 이상한 소리가 들려왔다. 깐죽이는 조용하게 말했지만 내 귀에는 깐죽이 목소리가 선생님 목소리보다 더 크게 들렸다.

"이건 또 뭐야?"

드디어 깐죽이가 자기 가방을 들여다본 것이다.

난 뒤돌아보고 싶었지만 꾹 참았다. 뒤돌아보지 않아도 알 수 있는 일이었다.

깐죽이는 지체 없이 선생님한테 손을 들어 말했다.

"선생님, 여기 뭐가 떨어져 있는데요."

선생님이 다가오자 깐죽이는 아이패드를 내밀었다.

"이게 제 자리에 떨어져 있어요."

"그래? 이거 주인 누구냐?"

선생님은 아이패드를 높이 올려 아이들에게 물어봤고, 허 서방은 환한 얼굴로 아이패드를 올려다봤다.

"선생님, 그거 제거예요. 휴!"

허 서방은 안도의 한숨을 내쉬며 큰 소리로 말했다

허 서방도 아이패드 잃어버린 걸 조금 전에 알아차렸던 모양이었다.

"자기 물건도 제대로 못 챙기면서 뭘 이런 걸 갖고 다닌다고. 참."

선생님은 허 서방에겐 가벼운 꿀밤으로, 깐죽이에겐 칭찬으로 대신했다.

정말 어이없는 작전이었다. 이렇게 쉽게 끝날 일이었다면 시작도 안 했을 것이다. 그저 별일 아닌 일이 스쳐 지나갔을 뿐이었다.

나를 더 허탈하게 만든 건 다음 날 허 서방이 그야말로 번쩍번쩍한 필통과 필기도구를 깐죽이에게 선물했다는 것이다. 허 서방은 깐죽이의 헌 필통이 자기 가방에 들어 있었다는 얘기는 꺼내지도 않고 아이패드를 찾아 줘서 고맙다고만 했다.

'음흉한 자식들! 자기가 의심 받을 거 같으니까 머리를 쓴다 이거지.'

뛰는 놈 위에 나는 놈이 있다는 속담이 괜히 나오지 않았구나 하는 생각이 들었다.

그뿐 아니다. 재수탱이 두 녀석이 어느 날 갑자기 친구가 되어 있었다. 도저히 매치가 되지 않는 비주얼이었다.

'이게 도대체 어떻게 된 걸까?'

아무리 생각해도 내가 중매쟁이 노릇을 한 꼴이었다.

나는 뒤에 앉은 깐죽이에게 깐죽거리며 물었다.

"너 갑자기 허 서방 하수라도 됐냐? 둘이 붙어 다니더라. 간식 얻어먹으려고 그러지?"

"이 자식이!"

깐죽이가 주먹을 쥐고 나를 칠 기세로 노려보았다. 깐죽대긴 했지만 폭력을 쓰는 애는 아니었다. 나는 잠깐 움찔했다.

"야, 그냥 눈꼴셔서 물어봤어. 왜 열 내고 그러냐?"

난 성난 불도그를 어르듯 조심스럽게 말했다. 싸움엔 자신이 없을 뿐더러 3학년 때 깐죽이가 자기를 놀리던 녀석에게 했던 말이 번뜩 떠올랐다. "니 그카다 내한테 죽는데이."라고 했던.

"욱하는 성질은 여전하군!"

"모르면 잠자코 있어라."

깐죽이는 자리에 앉더니 잠시 뒤 허 서방에게로 갔다.

"야, 이거 너희 아빠한테 전해 줘라."

"뭔데?"

"너희 아빠가 우리 할머니 무료로 치료해 주셨는데, 할머니 마음이 편하질 않대. 먼저 이거라도 받아 두면 나중에 더 갚으신대."

깐죽이가 얼굴이 시뻘게져서 말했다.

"아빠가 하신 일에 왜 나한테 전해 주라 마라야. 난 이런 거 전달 안 해. 우리 아빠가 무료로 치료해 준 할머니가 너희 할머니 한 분인 줄 알아?"

깐죽이는 허 서방이 거절하자 조용히 봉투를 들고 교실 밖으로 나갔다. 그렇게 심각한 깐죽이 얼굴은 처음 봤다.

난 멀찍이 떨어져 있다가 허 서방에게 물었다.

"재 왜 저래? 무슨 일 있어?"

"아무것도 아냐. 명수 할머니가 계단에서 넘어져 치아가 부러졌는데, 아빠가 무료로 고쳐 주셨나 봐. 그런 일은 예삿일이라 별일도 아냐."

"좋은 일 하셨네."

"우리 아빠 별명이 뭔 줄 알아?"

"뭔데?"

"꽁팔이."

"꽁팔이? 돌팔이는 들어 봤어도 꽁팔이는 첨 듣는다."

"꽁짜로 치료를 많이 해 줘서 붙은 별명이야."

"그럼 너흰 뭐 먹고 살아?"

"좋은 일 한다고 수입이 줄어드는 건 아냐. 나 하고 다니는 거 보면 모르냐? 입소문이 나서 손님이 더 많이 온다는 증거 아니겠어."

허 서방은 돈 많은 집안이란 걸 전혀 감출 생각이 없어 보였다. 남보다 더 많이 가졌으니 나누는 건 자연스러운 거고, 돈이 많다는 건 편한 거지 전혀 불편한 일이 아니라는 사실을 보여 주는 것 같았다.

집에 와서까지 오랫동안 허 서방의 얘기가 귓전에 맴돌았다.

'기분 나쁜 자식들! 왜들 그렇게 멋진 거야.'

나는 갑자기 그 두 녀석과 진짜 친구가 되고 싶어졌다. 그래서 그 뒤로 별명 대신 이름을 불렀다. 자존심도 접고 먼저 다가갔다.

"명수야, 우리 친구 아이가?"

부산 사투리까지 쓰며 우스갯소리를 하자 명수도 마음을 조금씩 열었다. 깐죽대지도 않았다. 나중에 알게 됐지만 부산에서 올라와 할머니와 단둘이 살면서 마음고생이 심했던 모양이었다.

속마음을 터놓고 얘기할 만한 친구를 찾지 못할 걸까? 명수는 내가 친근하게 다가갈수록 그동안 보여 줬던 겉모습과는 완전 다른 모습을 드러냈다. 자못 진지하기까지 했다.

"니한테 그런 면이 있었나?"

"부산서 내가 얼마나 공부를 잘했는지 아나? 전교 1, 2등을 다퉜다 아이가. 여기 와서 내 이리 돼뿌쩨."

내가 부산 사투리를 쓰자 명수도 부산 사투리로 맞받아쳤다.

난 명수가 왜 할머니와 단둘이 사는지 궁금했지만 묻지 않았다. 명수가 대답하기 곤란해한다면 그것도 상처가 될 수 있다는 생각이 들었다. 난 그냥 편한 친구로 옆에 있으면 되는 거였다.

사는 곳도 말투도 다른 곳에 버려졌다면 난 깐죽이보다 더 상처받았을지도 모른다. 어쩌면 이방인처럼 뱅글뱅글 맴돌다 사라져 버렸을지도.

허 서방은 원래 남을 밀어내는 성격은 아니니 그동안 지내온 것처럼 명수와 자연스럽게 엮이면 되었다. 생각을 조금 바꾸니 진심으로 다가가는 게 그리 힘든 일은 아니었다.

4. 물에 잠긴 날

폭우가 쏟아졌다. 반지하에 사는 사람들에게 비의 습격은 최악의 상황이다. 비가 내리고 얼마 뒤, 집 안으로 빗물이 쏟아져 들어왔다. 반지하이긴 했어도 집 안까지 물이 들어오긴 처음이었다. 헌옷과 신문으로 막아 봤지만 계단에서 폭포처럼 쏟아져 내리는 빗물을 막아 낼 재간이 없었다. 급기야 형과 나는 바가지를 들고 물을 퍼냈다. 하지만 현관에 모여 있던 빗물은 순식간에 거실에서 주방을 점령하더니 방까지 스멀스멀 기어들어왔다. 피난이라도 가고 싶었다.

아빠는 전화조차 받지 않았다. 다급하게 엄마한테 전화를 걸었다.

"엄마, 비가 안방까지 들어왔어. 언제 오는 거야?"

"곧 들어가니까 조금만 기다려. 아빠도 곧 도착할 거야. 차가 엄청 막힌다. 내가 탄 버스가 안 떠내려가면 다행일 거 같아."

엄마는 집에 있는 우리보다 더 다급한 목소리로 말했다. 마치 물속에서 허우적거리는 숨찬 말투였다.

하늘에 구멍이라도 뚫린 걸까? 비는 닷새 내내 내렸다. 비가 와 봤자 얼마나 오겠느냐며 마음을 놓았던 우리 가족은 비한테 한 방 얻어맞고 말았다.

"여긴 사람이 살 곳이 못 된다니까."

형이 투덜거리며 물을 퍼냈다. 걸레질도 수없이 했다. 그러더니 급기야 걸레를 내팽개쳤다.

"나가자. 이러다 익사하겠다. 넌 책가방만 챙겨. 친구한테 연락해 놓을게."

"형 친구 집에 가 있자고?"

"어쩔 수 없잖아. 일단 넌 거기 있는 게 나을 거야. 엄마 아빤 동사무소라도 가겠지."

"무섭다."

갑자기 물에 대한 공포가 온몸을 휘감았다. 빗물에 집이 잠기는 건 TV 뉴스에서나 봤던 광경인데 우리 집이 이렇게 될 줄은 몰랐다.

"이제 바닥을 쳤으니 올라갈 일만 남았어. 그러니까 너도 너무 무서워하지 마."

형은 의외로 의연하게 대처했다.

그때 누군가 통탕거리며 계단을 내려오는 소리가 들렸다. 아빠였다.

"와! 이게 무슨 난리냐. 우선 넌 꼭대기 층 주인댁에 가 있어라."

아빠가 나에게 말했다.

"싫어. 같이 있을래."

"일단 물부터 퍼야겠다."

아빠는 장롱에서 두툼한 솜이불을 꺼내와 현관문을 막고 물을 퍼냈다. 그리고 형처럼 걸레질을 해서 고무대야에 빗물을 짰다. 형과 나도 도왔다. 한참을 그러고 있을 때 엄마가 왔다.

"아이고! 이를 어째!"

엄마는 우리보다 더 황당해하며 멍하니 서 있었다. 아까처럼 물이 집 안에 가득 고여 있었다면 더 놀랐을 것이다.

"많이 퍼내서 이만이라도 한 거야."

아빠가 마른걸레로 쉼 없이 닦아 내면서 말했다.

"오늘 여기서 자긴 틀린 것 같다. 각자 중요한 것부터 챙겨서 찜질방으로 가자."

"이 집은 비워 두고? 그러다 밤새 비가 더 와서 물이 가득 차 버리면 어쩌려고?"

엄마가 호들갑스럽게 물었다.

"지금 사람이 중요하지 물건이 더 중요해? 식구들 안 다치고 무사하면 그걸로 된 거야."

아빠는 역시 아빠였다. 표정 하나 안 바뀌고 담담하게 말하는 걸 보니 통솔자다웠다.

엄마는 장롱과 화장대에서 주섬주섬 뭔가를 계속 챙겼다. 그러더니 집을 나설 때는 마치 피난민처럼 보따리가 서너 개는 됐다.

"뭐가 이렇게 많아?"

아빠가 놀라서 물었다.

"어떻게 다시 들어와 살겠어요. 젖기 전에 다 챙겨야지."

"무슨 소리야? 비 그치면 다시 들어와야지."

"어찌 됐건 우선 필요한 것만 싼 거예요. 자, 너희도 하나씩 들어라."

나는 책가방과 작은 옷 보따리를 들었다. 전쟁이 나면 딱 이렇겠구나 하는 생각이 들었다.

엄마는 현관문을 잠그고 집을 나섰다. 밖으로 나오자 빗물이 발목까지 찼다. 짐이 많아 우산을 쓸 수도 없었다. 우리는 흠뻑 젖은 채로 승용차에 탔다. 아빠가 타고 다니는 10년 넘은 차는 우리 집 보물 1호였다. 그런데 비 때문인지 시동이 잘 안 걸렸다. 아빠는 차 안팎을 확인하고 여러 차례 시동을 걸어 간신히 성공했다.

겨우 골목을 빠져나왔더니 더 기막힌 일이 벌어졌다. 큰길이 온통 물바다가 돼서 잘못하다간 승용차가 물에 둥둥 떠내려가게 생긴 것이다.

아빠는 큰길로 가는 것을 포기하고 언덕으로 올라갔다. 지대가 높은 곳에 차를 세워 두고 버스를 타고 이동하자고 했다. 버스가 다닐지도 의심스러웠다. 빗줄기는 약해졌지만 언제 그칠지 기약이 없었다. 지대가 낮은 곳에 사는 사람들은 영영 가망이 없어 보였다.

"제길! 일기예보가 도대체 맞질 않아!"

결국, 아빠가 참았던 불만을 터뜨렸다. 아빠는 애꿎은 기상청을 탓하며 자동차 경적을 몇 번이나 때렸다.

우리처럼 짐 가방을 챙겨 나오는 사람들이 눈에 띄었다. 대체로 노인들이었는데 어린아이를 등에 업은 아줌마도 있었다. 비가 그쳐도 피난민처럼 길바닥에 나앉아야 할 사람이 한둘이 아닐 것 같았다.

"찜질방은 너무 멀어서 안 되겠다. 뉴스에서 동사무소와 학교를 임시 숙소로 쓰고 있다니까 그리 가자. 가까운 동사무소가 더 낫겠지?"

아빠가 급히 다른 제안을 했다.

"그래, 그러자. 다른 방법이 없네."

엄마도 아빠의 말에 따랐다. 우리는 보따리를 들고 동사무소로 향했다.

동사무소는 벌써 사람들로 가득했다. 이부자리를 깔고 누워 있는 할머니도 있었다.

"뭔 난리랴. 나가 전쟁 통에 피난살이는 혀 봤어도 비 난리 땜에 피난은 팔십 평생 처음이랑께."

어떤 할머니는 동사무소에서 배급받은 빵을 질겅질겅 씹으며 하소연했다.

"엄마, 우리도 얼른 자리 잡자."

나는 그나마 빈자리를 놓칠까 봐 마음이 바빴다.

"그래, 정신 바짝 차리자."

엄마는 내 말을 듣고 휙 둘러보더니 출입구가 정면으로 보이는 중간에 자리를 잡았다. 사람들 이동이 적은 가장자리는 먼저 온 사람들 차지였다.

"식구들 무사하니까 됐어. 장마 끝나면 엄마 아빠가 도배, 장판 깨끗이 새로 해 줄게. 너희도 알다시피 엄마가 한 도배 하잖냐."

아빠가 억지로 미소를 지으며 말했다. 그때였다. 사람들이 갑자기 동사무소에 마련된 TV를 보고 웅성거렸다.

"뭐야! 이번엔 태풍이라고!"

"하늘이 왜 이런대. 완전 쓸어 버릴 모양이네."

사람들은 한탄을 하며 뉴스를 봤다. 하늘을 원망하는 사람도 있었다.

엄마는 가져온 얇은 이불을 펴고 옆으로 누웠다. 체념한 듯 보였다.

"씻을 데나 있는지 모르겠네. 내일 예약 받아 놓은 공사도 있는데……."

"그러게. 나 바람 좀 쐬고 올게."

아빠가 자리에서 일어났다.

"바람은 여태 쐤는데 또 뭔 바람을 쐰다고?"

엄마는 어이없다는 듯 아빠 뒤에 대고 말했다. 그러더니 무언가 떠오른 듯 벌떡 일어났다.

"아차! 치약, 칫솔을 안 가져왔다. 이는 닦고 자야 하는데 큰일이네."

"내가 가져올까? 금방 뛰어갔다 올게."

형이 모처럼 엄마 말을 고분고분하게 들었다.

"아냐, 됐어. 지금 이 닦는 게 대수니."

엄마는 힘없이 다시 드러눕더니 나더러 옆에 누우라고 했다. 나는 대답 대신 고개를 절레절레 흔들었다.

아빠가 다시 들어왔다.

"너희들 배고플 텐데 어쩌냐?"

"내가 일하는 중국집에 짜장면이라도 시킬까?"

형이 눈을 껌뻑이며 말했다.

"형도 없는데 배달이 될까?"

"거기도 지금 문 닫았어. 농담한 거야."

"넌 지금 이 상황에 농담이 나오니?"

엄마가 형을 나무랐다.

"이 상황에 농담 안 하면 언제 해?"

형은 실실 웃으며 대답했다. 나는 그런 형이 좋았다. 가끔 여유 부리는 모습을 보면 힘든 상황인데도 긴장이 풀어졌다.

동사무소에 모인 사람 중에는 신세 한탄을 하거나 눈물을 훔치는 사람이 눈에 띄었다. 나는 징징 짜기보다는 농담으로 받아치는 형이 훨씬 어른스러워 보였다.

우리 가족을 포함해 동사무소에 모인 사람들은 공무원과 자원봉사자의 구호품을 받으며 이틀간 같은 자리에서 묵었다. 학교는 이틀 동안 휴교를 했고 엄마, 아빠 그리고 형은 평상시와 다름없이 출근했다. 나만 동사무소 2층 임시 숙소에 남았다.

한낮에는 아이를 안고 있는 젊은 아줌마들과 노인들뿐이었다. 유치원생과 나보다 어린 초등학생도 몇 명 있었는데 걔네들은 딱지 게임을 하거나 잡기 놀이를 하며 뛰어다녔다.

“좋을 때다.”

나는 갑자기 폭삭 늙어 버린 노인처럼 어릴 적 어디선가 들었던 말을 내뱉었다. 내 또래 아이가 없다는 건 정말 다행스런 일이었다. 친구들이 이런 형편없는 내 모습을 본다면 얼마나 창피할까? 순간 부잣집 도령 허 서방이 한없이 부러웠다. 허 서방은 가난한 사람들의 괴로움을 알기는 할까?

엄마와 아빠, 형은 약속이라도 한 듯이 퇴근길에 먹을 것을 잔뜩 싸들고 돌아왔다. 혼자 남은 막내아들 걱정에 엄마는 점심도 굶었다고 했다.

"여기서 김밥이랑 주먹밥 줘서 먹었어."

난 일단 엄마를 안심시켰다.

신문지를 깔고 각자 싸 온 음식을 펼쳐 놓았다. 음식 냄새가 임시 숙소에 퍼졌다. 모두에게 나눠 줄 양이 못 돼서 미안했다. 엄마는 양옆에 있는 아기 엄마와 할머니에게 음식을 조금 덜어 주었다. 그 덕분에 내 마음의 짐도 조금 덜었다. 그렇게 우리는 임시 숙소 최후의 만찬을 함께 나눴다.

형이 싸 온 탕수육도 맛있고 아빠가 사 온 만두도 맛있었다. 엄마는 밥이 최고라며 불고기 덮밥을 포장해 왔는데 그 어떤 맛도 비교할 수 없을 정도로 기가 막혔다.

배가 부르자 잠이 솔솔 쏟아졌다. 나는 엄마와 아빠가 집을 치우고 오겠다는 말을 귓전에 흘려보내고 깊은 잠에 빠졌다.

꿈에서 우리 집은 배를 띄워야 할 정도로 물이 가득 차 있었다. 장롱과 책상, 심지어 부엌 살림살이까지 둥둥 떠다녔다. 형과 나는 쪽배를 타고 열심히 노를 저었지만 여전히 방 안에서 빠져나올 수가 없었다. 방이 왜 그리 넓은지 마치 바다 같았다. 그러다 갑자기 눈앞에 거대한 폭포가 쏟아지는 바람에 눈을 번쩍 떴다.

옆에는 엄마가 잠들어 있었다. 반대편에는 아빠가 코를 골고 있었다. 형은 보이지 않았다. 어디 간 걸까? 두리번거리는 사이 형이 어느새 내 옆으로 다가왔다.

"어디 갔었어?"

"전화 좀 하느라고."

형은 빈자리를 찾아 누웠다. 그러고는 금세 잠들더니 아빠처럼 얕게 코를 골았다.

나는 좀처럼 잠이 오지 않았다. 주변을 흘낏흘낏 살피기도 하고 나처럼 잠 못 드는 사람을 몰래 엿보기도 했다.

꿈에서처럼 비가 더 많이 내려서 우리 집이 물에 잠기면 어쩌나 하는 생각이 들었다. 내일은 학교도 가야 하는데 마음이 한없이 복잡했다.

새벽이 다가오자 갑자기 한기가 들었다. 이불을 머리까지 올려 덮자 이불에서 퀴퀴한 냄새가 났다. 살갗에 닿는 느낌도 눅눅했다.

아침에 눈을 뜨자 신기할 정도로 햇볕이 쨍하게 빛났다. 하늘은 언제 비가 왔냐는 듯 모든 물기를 한순간에 빨아들일 기세였다. 학교 가는 길은 약간 더울 정도였다. 아빠는 이미 출근했고 엄마와 형은 집에 가서 집 안 정리하고 천천히 출근한다고 했다. 엄마는 내게 학교 끝나고 집으로 곧장 오라고 당부했다.

교실에 들어서자 변함없이 시끌벅적했다. 한 사람도 비 피해로 힘들었다고 말하는 아이는 없었다. 비가 많이 와서 집에만 있었다는 둥, 이틀간 쉬니까 좋더라는 둥 그런 얘기만 했다. 설명하기 힘든 소외감이 들었다. 그때 깐죽이 명수가 먼저 말을 걸었다.

"학교 끝나고 우리 집 갈래? 할머니가 김치 부침개 해 준다는데."

"좋아."

나는 단숨에 대답했다. 어차피 집에 가도 아무도 없을 테고 눅눅한 집에 혼자 있기도 싫었다. 엄마랑 형이 아무리 닦아 봤자 이전보다 더 좋아질 리는 없지 않은가?

어느새 허 서방이 끼어들었다.

"너희들, 나를 빼놓겠다는 거냐?"

"들었어?"

"그래, 나도 김치 부침개 무지 좋아한다. 치사하게 먹는 걸로 왕따시키지 마라."

"넌 그런 거 싫어할 거 같아서."

명수가 머뭇거리면서 말했다.

"난 뭐 외계인이냐? 너희들하고 똑같지."

"부잣집 도령이 갑자기 웬 평민 포스?"

나도 모르게 명수처럼 깐죽이며 말했다.

"너도 명수한테 옮았냐? 그 깐죽 병 한번 걸리면 고치기 어려운데. 쯧쯧!"

현민이가 팔자 눈썹을 만들고 혀를 차며 고개를 절레절레 흔들었다. 표정이 마치 찌그러진 하회탈처럼 보였다. 명수와 나는 현민이 표정을 보며 큰 소리로 웃었다.

명수네 집으로 가는 길은 멀었다. 학교 건너편 골목을 따라 한참을 올라갔다. 지대가 높아 비 피해는 없을 것 같았다. 거의 막다른 골목에 다다를 즈음 낡은 파란 대문 집 앞에 명수가 섰다.

"여기가 우리 집이야. 정확히 말하면 우리 할머니 집. 너희들 우리 집 가난하다고 놀리면 안 된다. 특히 돈 많은 허 서방!"

"야, 넌 날 뭘로 보고 그런 말을 하냐. 우리 아빠가 돈이 많은 거지. 내가 많은 건 아니잖아."

"와! 우리 허 서방 멋진걸. 그런 말은 어디서 배웠냐?"

나는 아주 적절한 대답이었다고 생각됐다.

"책에서 읽었다, 임마."

역시 현민이다웠다.

우리가 큰 소리로 떠들자 명수 할머니가 방에서 나왔다.

"명수 친구들 왔구나! 어서 와라."

명수 할머니는 생각보다 젊었다.

"느그들은 피자를 좋다고 할 낀데 김치 부침개를 해서 우짜꼬?"

"피자는 질렸어요. 저희는 김치 부침개 정말 좋아해요. 그렇지?"

현민이가 갑자기 나를 보며 맞장구를 요구했다.

"네, 맞아요. 김치 부침개 킬러예요."

나는 고개를 사정없이 끄덕이며 한술 더 떠서 말했다.

"알았데이."

할머니는 우리를 기특하게 바라보며 부엌으로 들어갔다.

잠시 뒤, 노릇노릇하게 부쳐진 김치 부침개가 상 위에 놓였다. 한입 뜯어 먹자 정말 그 어떤 피자보다 맛이 좋았다.

"명수 야가 원래 이런 데서 살 아가 아닌디 이리 되뿌렀다. 집에 친구를 데꼬 온 것도 느그가 첨이다 아이가. 친하게들 지내그래이. 느그 나이 때는 부모보다 친구가 더 좋을 때 아이가."

"네."

현민이와 나는 동시에 대답했다.

"야 아부지는 희귀 암에 걸려서 오랫동안 병원 치료를 받다가 세상을 떠뿄다. 야 엄마가 자리 잡을 동안만 내가 맡고 있는 기다."

"할머니, 그만."

할머니가 길게 이야기하자 명수는 쑥스러운 듯 할머니 입에 김치 부침개를 넣어 주며 말을 막았다.

"알았데이, 할미가 또 주책 부렸제? 난 마실갈 테니께 재밌게 놀다 가그래이."

할머니는 명수가 눈치를 주자 슬쩍 자리를 피해 주었다.

"여긴 경치 한번 끝내준다."

현민이가 기지개를 펴고는 마당으로 나가 아랫동네를 내려다보며 말했다.

"야, 우리 학교도 보인다. 낮은 데보다 높은 데가 훨씬 살기 좋아 보이네."

"치! 좋긴 뭐가 좋냐?"

명수는 내가 빈말로 하는 줄 알고 믿지 않는 눈치였다. 난 진심으로 높은 집에 사는 명수가 부러워서 하는 소리였는데.

"산에 올라온 것처럼 숨통이 탁 트여서 그런다."

"넌 낮은 데로 임하라는 성경 말씀도 모르냐? 높은 데 살면 다리 알 배겨. 할머니도 아랫동네에서 살고 싶으시대."

"아랫동네도 동네 나름이지."

나는 명수에게 우리 집 사정을 툭 터놓고 싶었지만 꾹 참았다. 난 명수만큼 쿨한 성격은 아니었다.

"담엔 너희 집에 가자."

뜬금없이 현민이 녀석이 우리 집에 쳐들어올 기세였다.

"우리 집엔 김치 부침개 해 줄 엄마가 일 나가고 안 계시다."

난 변명 아닌 변명을 했다.

"누가 그거 먹으러 가냐? 친구끼리 서로 집이나 알자는 거지."

"그럼 부잣집 도령네부터 가자."

"좋아."

명수의 제안에 현민이는 흔쾌히 대답했고, 다음엔 현민이네로 가기로 했다.

친구들과 헤어지고 집에 오자 우리 집은 여전히 퀴퀴하고 눅눅했다. 아무리 닦아 내도 뽀송뽀송해지기는 힘들 것 같았다. 나는 현민이네 가더라도 우리 집 초대는 무한 연기할 생각이다. 좀 더 나은 집으로 이사 가기 전까진 내 자존심이 허락지 않을 것 같다.

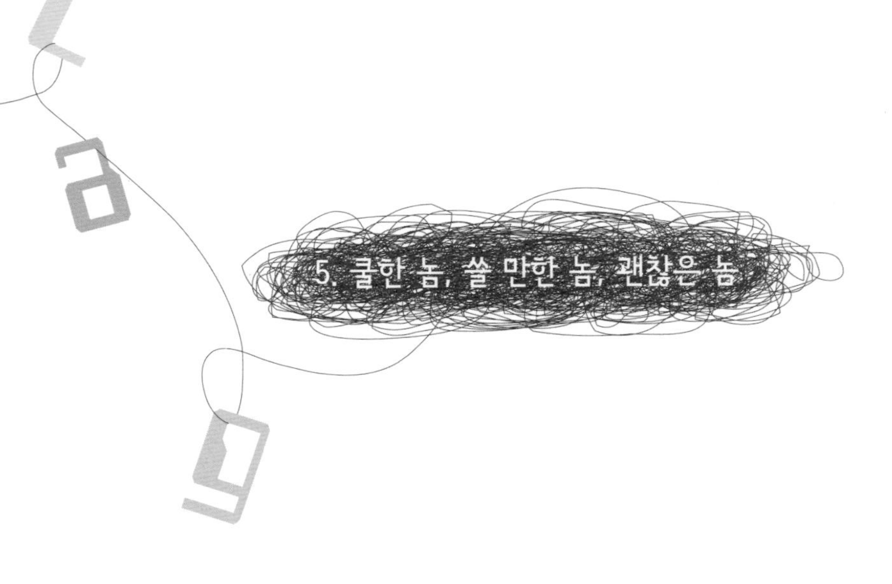

5. 쿨한 놈, 쓸 만한 놈, 괜찮은 놈

형이 기타를 가져와서 뚱땅거렸다.

"웬 기타야?"

"중국 간 형이 노랑머리한테 줬는데, 걔가 못 치겠다고 해서 내가 가져왔다. 끈기 없는 고마운 놈."

형은 돌고 돌아 자신한테 돌아온 기타를 수건으로 닦으며 말했다.

"조만간 이 형님이 기타 치며 노래하는 모습을 보여 줄 테니 기대해라."

기타를 들고 있는 형의 모습은 멋있었다. 폼 하나만은 지금 당장 무대에 올라가 노래를 부른다 해도 손색이 없어 보였다.

그날 밤부터 형은 기타 교본을 뚫어져라 보며 기타를 치기 시작했다. 하지만 음악적 소질을 찾기도 전에 암기력이 걸림돌이 되었다.

"왜 이렇게 외울 코드가 많은 거야!"

형은 투덜거리며 같은 코드를 몇 번씩 반복해서 쳤다. 가끔은 음도 안 맞는 코드를 마구잡이로 짚고 노래까지 불렀다. 듣기는 괴로웠지만 형이 나름 취미 생활을 찾은 것 같아 참아 주기로 했다. 반지하라서 좋은 점은 시끄럽다고 항의하는 동네 주민이 없다는 점이었다.

며칠이 지나도 형의 기타 실력은 늘 낌새가 보이지 않았다. 날마다 제자리를 맴돌았다. 외울 코드가 수십 개도 아닌데 옆에서 보자니 딱했다.

나는 형이 없을 때면 기타를 들고 락 가수 흉내를 냈다.

"띵가 띵가 띠~잉!"

제법 재밌는 놀이였다. 그러다가 형의 기타 교본을 보고 코드를 외워서 쳤다. 손가락 끝이 아프긴 했지만 칠만 했다. 날마다 코드 두 개씩 외우기로 결심하자 자신감도 붙었다.

형은 일주일 정도 기타를 붙들고 어설프게 연습하더니 어느 날부터 구석에 처박아 놓고 쳐다보지도 않았다.

"형, 기타 안 칠 거면 내가 칠까?"

"네 맘대로 해."

형은 귀찮다는 듯 대답했다. 형 역시 끈기 없는 고마운 놈이 돼 버렸다.

생각지도 않았던 기타가 내 차지가 되자 약간 흥분이 되었다. 기타를 메고 거울을 보니 왠지 특별하고 멋진 남자가 된 것 같았다.

다음 날 명수와 현민이에게 뻐기면서 물었다.

"너희들 악기 다룰 줄 아는 거 있냐?"

"피아노."

현민이가 명쾌하게 답했다.

"난 리코더."

명수는 자기가 얘기하고도 쑥스러운지 머리를 긁적거렸다.

"피아노는 너무 흔하고 리코더는 악기라고 하기엔 좀 약하지 않냐?"

"그럼 넌 뭐 할 줄 아는데?"

"남자는 역시 기타 아니겠어?"

"기타? 너 정말 기타 칠 줄 알아?"

명수가 신기하다는 듯 물었다.

"좀만 기다려라. 실력을 보여 줄 날이 멀지 않았으니."

난 친구들이 하지 않는 무언가를 할 수 있다는 사실만으로 기분이 들떴다.

집에서는 보란 듯이 코드 외운 것을 형한테 들려주었다.

"이 정도 가지고 뭐가 어렵다고."

내가 형보다 빠르게 코드를 짚자 형은 약간 당황스러워하는 눈치였다.

"짜식! 언제 다 외운 거야?"

"날마다 코드 두 개씩 외우니까 금방이던데?"

"자만하지 마라. 나도 코드는 다 외웠어. 이제부터 시작인 줄이나 알아."

"문제없어."

형은 내 말이 끝나기가 무섭게 연습곡 첫 페이지를 펴 보라고 했다.

"자, 〈나비야〉 노래 알지? 쳐 봐."

"그 정도야 껌이지."

나는 자신감에 불타올랐다.

형은 흐뭇한 미소를 지으며 기타 줄에 올린 내 손을 바라보았다.

"이왕이면 쉬운 곡이니까 노래하면서 쳐라."

"오케이!"

나는 첫 연주회라도 되는 양 은근히 긴장했다.

교본대로 C코드를 잡아 놓고 〈나비야〉를 부르기 시작했다.

"나아비야아 나아비야아아……."

어이없게도 박자에 맞춰 기타 줄을 튕기는 게 마음처럼 되지 않았다. 다음 코드를 짚는 데에도 오래 걸려 노래가 고장 난 테이프처럼 질질 늘어졌다.

"큭큭! 관둬라, 관둬."

형이 비웃었다.

"처음이니까 그렇지. 좀만 더 연습하면 잘할 거라고."

나는 얼굴이 시뻘게져서 말했다.

"그래. 열심히 해 봐라. 잘된다는 보장은 없지만."

형은 약 올리듯 말하고는 약속이 있다며 일어섰다.

"형! 들어 봐. 다시 해 볼 테니까."

나는 형을 애타게 불렀다. 형이 끝까지 들어 줬으면 싶었다.

"됐다."

형은 뒤도 안 돌아보고 나가 버렸다.

"치, 이 정도도 못할까 봐. 난 더 어려운 곡도 칠 수 있다고."

나는 코드를 외워서 치면 박자를 맞출 수 있을 것 같았다.

'그래, 이렇게 연습하면 문제없어.'

C, G7, C.

"나아비야아 나아비야아……."

나는 최대한 손을 빨리 움직여 코드를 짚었다. 하지만 세상에 쉽게 얻어지는 것은 없었다. 며칠이 지나도 기타 실력은 늘지 않고 손가락 끝은 빨갛다 못해 나중에는 살갗이 벗겨졌다. 오기가 발동해서 밴드를 붙이고 코드를 짚었지만, 도저히 치는 속도가 노래를 따라가질 못했다. 코드를 옮겨 짚다가 시간이 다 가고 노래는 서너 소절 부르기도 버거웠다.

"뭐가 이렇게 어려워!"

난 형처럼 투덜댔다.

유튜브에서 동영상을 보면 쉽게 치는 것 같았는데, 기타리스트 포스는 언감생심 흉내 내기도 어려웠다.

"야, 네 기타 실력은 언제 볼 수 있는 거냐?"

"띵~ 띵~ 띵가 띵가!"

명수와 현민이가 기타 치는 흉내를 내며 빨리 보여 달라고 재촉했다.

미리 자랑한 게 후회가 되었다.

“기타 치는 게 그렇게 쉬운 줄 아냐? 하루아침에 잘 칠 수 있는 게 아니라고. 그렇게 쉬운 거면 아무나 다 치게.”

난 얼렁뚱땅 둘러댔다.

“하긴, 나도 피아노를 유치원 때부터 5년이나 쳤는데도 실력이 별로야. 지금은 때려치웠지만.”

“음대 갈 것도 아닌데 뭐하러 그리 오래 배우냐?”

명수가 시큰둥하게 말했다.

“맞아, 악기는 그냥 취미 생활이잖아.”

나도 맞장구를 쳤다. 마음이 훨씬 홀가분해졌다.

“그나저나 날씨도 시원해졌는데 우리 자전거 여행 안 갈래?”

현민이가 자전거로 화제를 바꿨다.

“그거 좋지! 남자라면 악기보다 자전거지. 흐흐.”

명수는 현민이의 갑작스런 제안을 쉽게 받아들였다. 나 역시 의기투합하는 의미로 자전거 여행이 제격이라고 생각했다. 하지만 문제가 있었다. 첫 번째는 나한테 자전거가 없다는 것이고, 두 번째는 자전거를 탈 줄 모른다는 거였다.

기타는 있는데 자전거는 없고, 사나이 나이 열두 살이 되도록 자전거도 탈 줄 모르다니! 먹구름이 쫙 몰려오는 기분이었다.

"난 못 가."

"왜?"

내가 단박에 거절하자 둘은 어리둥절한 표정을 지었다.

"자전거가 고장 났어. 안 탄 지 오래됐거든. 참, 바퀴 바람도 빠졌을 거야."

"자전거라면 걱정 마. 나한테 두 대 있으니까."

"정말?"

현민이의 말에 내 속마음을 알 리 없는 명수가 나보다 더 좋아했다.

"있는 집 도령이라 다른걸. 넌 도대체 없는 게 뭐냐?"

명수가 은근히 칭찬 아닌 칭찬을 했다.

"잘 찾아보면 없는 것도 많아."

현민이는 대답도 여유롭게 했다.

난 자전거가 해결되자 한 번도 안 타 본 자전거를 잘 탈 수 있을지 걱정이 앞섰다.

"이제 아무 문제없지? 그럼 내일 만나자. 토요일이니까. 아침 6시까지 학교 앞으로 나와라!"

처음에 의견을 낸 현민이가 주도적인 역할을 했다.

"안 돼. 내일은 할 일이 있어."

난 일단 시간을 끌기로 했다.

"그럼 모레 일요일은 괜찮지?"

"어……."

난 마지못해 대답했다.

"좋아, 늦잠 자기 없기다."

"너나 늦지 마."

우리는 서로 당부하며 헤어졌다. 그런데 집에 오는 길에 곰곰이 생각해 보니 집에 자전거가 없으니 자전거 타는 연습도 못 하고 맨땅에 헤딩하게 생겼다. 두 녀석은 쌩쌩 달리고 나 혼자 뒤처져서 가면 꼴이 우스울 것 같았다.

'괜히 간다고 했나?'

얼떨결에 쉽게 대답해 버린 게 후회됐다. 다른 핑계를 대고 빠질까도 생각했지만 그것도 내키지 않았다.

"에라! 모르겠다. 어떻게든 되겠지."

걱정한다고 해결될 문제가 아니라고 생각하고 집으로 들어갔다. 집 안은 언제나처럼 텅 비어 있었다. 나는 형한테 전화를 걸었다.

"형, 자전거 구할 수 있어?"

"오토바이 태워 달라더니 자전거로 바꿨냐? 생각 잘했다."

"지금 자전거 구할 수 있냐고?"

나는 형이 말을 못 알아듣는 것 같아 다시 물었다.

"갑자기 자전거가 어딨어. 나한테 자전거 맡겨 놨냐?"

"치, 됐어. 연습 좀 하려고 했더니."

내가 전화를 끊으려는 순간 형이 불렀다.

"야, 연습하는 거라면 잠깐 빌려 줄 만한 자전거는 있어. 꼬지기는 했지만 말이야."

"상관없어."

"그럼 짜장면 집 앞으로 나와."

"배달용이야?"

"싫으면 관두고."

"아냐, 알았어."

난 전화를 끊자마자 형한테 달려갔다.

형이 일하는 중국집을 들여다보자 테이블 손님은 아빠 또래 한 사람뿐이고 형은 배달을 갔는지 보이지 않았다.

잠시 뒤, 오토바이 소리와 함께 형이 배달통을 들고 나타났다. 형이 들고 있는 빨간 철가방에는 '예민한 짜장면이 타고 있어요'라는 글귀가 쓰여 있었다.

'예민한 짜장면도 다 있나? 예민한 아이라면 모를까.'

형이 저런 말도 안 되는 배달통을 놓고 오토바이를 탄다고 생각하자 피식 웃음이 나왔다.

한편으론 그런 형의 모습이 집에서와는 달리 초라해 보였다. 차라리 배트맨의 후예라며 잘난 척하는 게 훨씬 형답다고 생각했다.

"들어가자."

난 형을 따라 가게 안으로 들어갔다.

형은 나를 자리에 앉히고는 주방을 향해 큰 소리로 말했다.

"여기 테이블에 짜장면 곱빼기!"

"나 배 안 고픈데……."

"형님이 시켜 줄 때 먹어, 꼬맹아."

형은 터프하게 말했다. 어쩐지 내가 알던 형과는 좀 다르게 보였다.

사실, 형이 일하는 중국집엔 처음 와 보았다. 여기서는 짜장면을 배달시키지도 않았다. 형은 내가 먹은 짜장면 값을 계산하고는 또다시 배달을 나갔다.

"형! 자전거는?"

"금방 와. 그거 먹으면서 기다려. 가르쳐 줄 테니까."

"응."

짜장면이 나왔다. 짜장면은 역시 언제 먹어도 맛있다. 형은 내가 짜장면을 다 먹고 물을 마실 때 돌아왔다. 배달 갔던 곳이 근처였나 보다.

"나가자."

형이 내 팔을 잡아당겼다.

"금방 올게요!"

형은 주인을 향해 짧게 말했다.

"저놈 봐라. 네 맘대로 다 해 먹어라!"

주인이 뒤에 대고 뭐라고 했지만 형은 신경 쓰지 않는 눈치였다.

"형, 일해야 하는 거 아냐?"

난 걱정이 되어서 물었다.

"쉬는 시간이니까 괜찮아."

형은 쉬는 시간도 자기 마음대로 정하는 걸까? 괜히 주인 눈밖에 나서 잘릴까 봐 걱정이 되었다.

형은 중국집 건물 뒤쪽에 세워진 짐 자전거를 끌고 왔다.

"탈 수 있겠냐?"

"너무 높고 큰데."

"짜식! 이 정도 가지고 겁먹으면 오토바이는 어떻게 탈래?"

"엄마가 어릴 때 자전거를 안 사 줘서 그렇잖아."

"일단 내가 잡아 줄 테니까 타 봐."

"다리도 안 올라가겠는걸."

형은 하는 수 없이 나를 자전거 짐칸에 태워 학교 운동장까지 갔다.

"안장 낮춰 줄게. 다시 타 봐."

형은 녹슨 안장을 낑낑대며 내렸다. 안장을 내려도 여전히 높았지만 다리가 올라가자 탈 수는 있을 것 같았다.

"내가 뒤에서 잡아 줄게, 타."

"형, 절대 놓으면 안 돼. 꽉 잡고 있어야 해."

난 연거푸 당부했다.

"알았으니까 걱정 말고 운전이나 잘하셔."

나는 형이 잘 잡고 있는지 뒤를 돌아보며 페달을 밟았다. 비틀비틀 갈지자로 가다 하마터면 옆으로 엎어질 뻔했다. 다행히 형이 꽉 붙들고 있어서 간신히 중심을 잡았다.

"조금만 쉬자."

잠시 내렸다가 숨을 돌리고 다시 시도했다.

"형, 절대 놓으면 안 돼. 놓으면 나 떨어져 죽는다고."

"알았어, 임마! 앞만 보고 가기나 해. 뒤를 보니까 자꾸 휘청거리잖아."

형은 끝까지 잡아 주겠다고 철석같이 약속했고, 나는 못 미더워 또다시 뒤를 쳐다봤다. 여전히 형은 꽉 잡고 있었다. 바로 안심이 되었다. 그래서 이번엔 앞만 보고 페달을 밟았다. 그랬더니 안정적으로 나아갔다. 커다란 원을 그리며 탈 수도 있었다. 텁텁했던 공기가 시원한 바람결로 바뀌었다.

'아, 이 맛이구나!'

나는 속으로 감탄하며 형이 잡고 있다는 생각에 마음 놓고 잠시 자전거 타기를 즐겼다. 그런데 속도가 점점 빨라져 잡고 있는 형이 지칠 것 같아 뒤를 돌아다봤다.

"형, 힘들어?"

헉! 형이 없었다. 순간, 두려움이 몰려오더니 중심을 잃었다. 꽈당! 소리와 함께 자전거와 나뒹굴었다.

어디선가 형이 달려왔다.

"야, 잘 타더니 왜 넘어지고 그래?"

"형이 끝까지 잡아 준다고 했잖아!"

"언제까지 잡아 주냐? 혼자 탈 수 있을 거 같으니까 놨지."

"세상에 믿을 놈 하나도 없다니까."

형이 나를 일으켜 세우더니 꿀밤을 먹였다.

난 입을 삐죽 내밀었다.

"형님한테 하는 말버릇 봐라."

"무릎에서 피 나."

"영광의 상처네. 집에 가서 약 발라."

형은 무릎을 보더니 대수롭지 않다는 듯 말했다.

"더 연습해야 하는데……."

"난 이제 들어가 봐야 하니까 오늘 강습은 여기까지."

형은 또다시 짐칸에 나를 태우고 집 근처에 내려 주고는 일하러 갔다. 자전거를 타고 가는 형의 뒷모습이 짐을 지고 가는 소년 가장처럼 무거워 보였다.

단 한 번의 연습으로 자전거 여행을 가기는 무리였다. 내일은 종일 연습해야겠다는 생각이 들었다. 형이 또 연습을 시켜 줄지는 모르지만, 어느 정도 자신감이 붙었으니 조금만 더 잡아 주면 될 거 같았다.

나는 무릎에 연고를 바른 다음 밴드를 꼼꼼하게 붙였다. 손가락에도 밴드, 무릎에도 밴드. 연고와 밴드가 만병통치약처럼 느껴졌다.

밤늦게 형이 돌아오자 난 그 어느 때보다 반갑게 맞이했다.

"형, 내일 한 번만 더 잡아 주라. 응?"

"내일은 주말이라 바쁜데……."

"제발, 일요일에 친구들이랑 자전거 타기로 했단 말이야."

"짜식! 알았다. 낮에 잠깐 시간 내 볼 테니까 먼저 연습하고 있어. 그 대신 월급 깎이면 네가 책임져야 한다."

형은 꽤 어른스럽게 대답했다.

다음 날 형은 점심시간이 훨씬 지나 학교 운동장으로 오토바이를 타고 왔다.

"너 땜에 짜장면 집에서 잘리게 생겼어. 배달이 밀렸는데 몰래 빠져나왔으니까 초고속으로 배워라, 알았냐?"

"응."

난 형한테 미안한 마음이 들어 기어 들어가는 목소리로 대답했다.

형은 30분 정도 잡아 주고는 이제 혼자 연습하라며 오토바이를 타고 바람처럼 사라졌다. 다행히 이틀째여서 그런지 어제보다 힘들지 않았다. 형은 갔어도 계속 형이 잡아 주고 있다고 생각하며 탔다. 몇 차례 넘어지긴 했지만 자신감도 붙었다. 나는 해질녘까지 계속 연습했다. 형은 내가 자전거를 가져다 놓을 때까지도 배달 중이었다.

일요일 아침, 현민이와 명수는 나보다 먼저 나와 있었다. 현민이 옆에는 약속대로 내 몫의 자전거까지 두 대가 나란히 세워져 있었다.

현민이는 자전거 한 대를 나한테 쓱 밀어 주었다.

"엄마가 여기까지 실어 놓고 가셨어."

현민이 얘기를 들으니 현민이 엄마한테까지 신세를 진 기분이었다.

자전거는 생각보다 좋아 보였다. 짐 자전거처럼 높지도 않고 험악스럽게 생기지도 않았다.

"작년에 타던 건데 네가 나보다 작으니까 얼추 맞을 거다."

현민이는 자기 것보다 낮은 자전거를 주는 것을 오히려 미안해했다.

난 가뜩이나 높은 자전거는 좀 무서워서 현민이의 결정이 마음에 들었다.

"좋아!"

"쿨한 자식!"

갑자기 쿨한 자식이 된 것도 기분 좋았다.

“어디로 갈까?”

“셋이서는 자전거 여행이 처음이니까 쉬운 길로 가자. 내가 인터넷으로 조사해 봤는데 신도시 방향으로 가면 자전거 길이 새로 생겨 아주 편하게 갈 수 있대. 경치도 볼 만하고. 최종 목적지는 신도시 유원지로 하자, 어때?”

“좋아.”

“그럼 둘 다 찬성하는 걸로 하고 출발하자!”

현민이 녀석은 그동안 거들먹거리는 부잣집 허 서방이라는 별명이 무색할 정도로 현명하고 리더십이 있었다.

“쓸 만한 자식!”

“내가?”

“그래.”

현민이는 내가 진짜 자기를 좋아하게 된 걸 알게 된 듯 미소로 답했다.

“난?”

명수가 갑자기 자기에 대해서도 물었다.

“넌…… 괜찮은 자식이고.”

“괜찮은 자식? 그것도 괜찮네. 칭찬으로 들을게.”

“그래.”

"자! 출발!"

현민이의 출발 신호에 맞춰 우리는 모두 자전거에 올라탔다.

현민이가 빌려 준 자전거의 성능은 중국집 짐 자전거에 비할 바가 못 되었다. 가벼우면서도 부드럽게 잘 나갔다. 안장 높이도 키에 딱 맞아 예전부터 탔던 것처럼 아주 익숙한 느낌이었다. 현민이와 명수 뒤를 따라갔지만 형이 잡아 줬을 때보다 안정적이었다.

쿨하고, 쓸 만하고, 괜찮은 자식 세 명은 그날 자전거 여행을 무사히 마쳤다.

"영진아, 그 자전거 너 가져라."

현민이가 헤어지기 전 학교 앞에서 말했다.

"오늘만 빌려 주는 거 아니었어?"

"네 건 고장 났다며."

"그래도……."

난 생각지도 않은 선물에 당황스러웠다.

"맘에 안 드는 건 아니지?"

"응."

"그럼 됐어. 내가 보기엔 너한테 딱이더라. 나 먼저 간다."

현민이가 부드러운 미소를 날리며 먼저 출발했다. 내가 겸연

찍어 할까 봐 먼저 피해 주는 눈치였다.

"끝까지 지 혼자 멋있으려고 한다니까."

난 현민이 뒤에 대고 작은 목소리로 말했다.

"쓸 만한 자식! 잘 가라!"

옆에서 지켜보던 명수가 멀어져 가는 현민이 뒤꽁무니에 대고 소리쳤다.

"우리도 들어가자."

"그래."

명수와 나는 하이파이브를 하고 헤어졌다.

친구가 준 자전거를 타고 집으로 돌아가는 길, 바람은 시원하고 노을은 유난히 붉었다.

뭔가를 해낸 하루의 마지막은 뭐든 도전해야 할 것 같은 의욕에 사로잡힌다. 집에 와서 다시 기타를 쳐야겠다고 마음먹었다. 자전거도 이렇게 쉽게 배웠는데 기타까지 칠 줄 안다면 훨씬 멋진 남자로 변신할 것 같았다.

가끔 일기를 쓰고 싶은 날이 있는데 오늘이 그런 날이었다. 난 일기 몇 줄을 쓰고 깊은 잠에 빠졌다.

"영진아, 밥 먹고 자야지."

엄마가 깨웠다.

난 잠이 덜 깨서 밤인지 아침인지 구분하기 힘들었다.

"졸린데……."

"그래도 저녁 먹고 이 닦고 자."

우리 집은 언제나 늦은 밤에 더 소란스럽다. 집에 들어오는 시간이 모두 들쭉날쭉하기 때문이다.

"영석아, 네가 자전거 갖다 놨니?"

엄마가 밥을 차리며 형에게 물었다.

"아니."

"그럼 누구 거야? 당신이 타기엔 너무 작은데."

엄마는 아빠를 쳐다보며 말했다. 내가 갖다 놨을 거라는 생각은 못하는 것 같았다.

"내 거야."

나는 하품을 하며 꿀잠을 방해한 엄마에게 대답했다.

"어디서 난 건데?"

"친구가 줬어."

"친구가 왜 줘?"

엄마는 예전에 형한테 데인 적이 있어서 그런지 집요하게 캐물었다.

"걘 두 대래. 그리고 잘살아. 큰길 허만철 치과 아들이야."

"친구가 준다고 덥석 받지 말고 내일 학교에서 만나면 부모님 허락받았는지 물어봐. 알았지? 비싼 거 같은데."

"쪽팔리게 뭘 그런 걸 물어. 줄 만하니까 준 걸 가지고."

"세상에 공짜가 어딨니? 꼭 물어봐, 알았지?"

"나만 자전거가 없으니까 그런 거 아냐! 사 주지도 않고서."

나는 처음으로 엄마한테 불만을 털어놨다.

"그야…… 위험하니까."

엄마는 형을 슬쩍 보며 말을 흐렸다.

"형이 그런다고 나까지 그럴까 봐?"

"왜 나를 끌고 들어가? 너 물귀신 띠냐?"

형이 눈을 부라리며 말했다.

"자, 그만. 밥이나 먹자."

가만히 듣고 있던 아빠가 싸움을 마무리 지었다.

저녁을 먹고 기타를 집어 들었다. 여전히 기타 치기는 힘들었다. 며칠 안 쳤다고 코드 몇 개는 벌써 기억 너머로 사라져 버렸다.

〈나비야〉를 다시 시도했다. 손가락에 밴드 붙인 자리가 걸리적거렸다. 밴드를 벗기고 기타 줄을 누르자 손가락 끝이 터질 것처럼 아팠다.

"역시 남자는 자전거지."

난 스스로를 위로하며 기타를 구석에 세워 놓았다.

결국, 나의 기타 연주는 어설픈 〈나비야〉로 끝났다.

울분

6. 배달 왕과 도배 여왕

형이 배달 전문이라면 엄마는 도배 전문이다.

엄마는 요즘 이사철이라 일이 제법 많이 들어온다고 했다. 엄마가 도배하는 곳을 따라가 본 적이 있는데, 엄마는 허리춤에 쌍권총 같은 것을 차고 일했다. 가느다란 선반 같은 곳에 올라가 빠른 손놀림으로 도배지를 벽에 척 붙이고 서부의 사나이처럼 쌍권총 칼을 꺼내 쓱싹 잘라 냈다. 엄마 손이 지나간 자리는 금방 깨끗하고 멋진 방으로 변했다. 마음 같아서는 날마다 엄마를 따라다니고 싶었다.

"엄마, 나도 엄마처럼 도배나 할까?"

"쓸데없는 소리 하지 말고 넌 공부나 해."

그날 이후, 엄마는 나를 일하는 곳에 데려가지 않았다.

그때부터 나는 하루 종일 엄마와 형을 기다리는 게 일이었다. 심심해도 무서워도 꾹 참았다. 가끔은 낡은 싱크대 수도꼭지에서 물방울 떨어지는 소리에 깜짝 놀라기도 했다.

아빠는 지난달 베트남으로 떠났다. 이렇다 할 의논 한마디 없이 아빠 혼자 결정을 내린 것이다. 식구들은 아빠의 갑작스런 선포를 듣고 어안이 벙벙했다.

"모두 반대할 거 같아서 닥쳐서 얘기하는 거다. 아빠가 너희들에게 바라는 건 한 가지다. 건강하게 잘 있는 거. 알았지?"

아빠는 단호하게 말했다.

엄마는 아빠 얘기가 끝나기도 전에 어이없다며 방으로 휙 들어가 버렸다. 아빠는 그런 엄마를 보고 안절부절못하더니 뒤따라 들어갔다.

형은 체념한 듯 작은방으로 들어가고 나는 아빠 뒤를 따라 안방으로 들어갔다.

"당신은 늘 이런 식이야!"

엄마가 울음 섞인 목소리로 아빠를 노려보며 화를 냈다.

"미리 얘기해 봤자 당신 걱정만 늘지 뭐."

아빠가 미간을 찌푸리며 두 손으로 머리를 쓸어 올렸다.

"연애할 때도 갑자기 군대 간다면서 가 버렸잖아. 그것도 하루 전날 알려 주고."

엄마는 아빠에게 투정 부리듯 말했다.

"그야…… 나도 헤어지기 싫었으니까 그랬지. 빨리 말하면 그만큼 떨어져 있는 시간이 길어지는 것 같잖아."

"지금은 머슴애들 둘이나 나한테 맡기고 가 버리겠다는 거야? 어떻게 나한테 물어보지도 않고 그렇게 큰 결정을 할 수가 있어?"

"내 얼른 돈 벌어서 올게."

아빠는 엄마를 토닥이며 달랬다. 그리고 딱 이틀 뒤, 베트남으로 떠났다. 공항엔 아무도 따라 나오지 못하게 했다. 이른 아침, 아빠는 한 사람씩 안아 주고는 거짓말처럼 가 버렸다.

나는 아빠가 생각나면 안방으로 들어간다. 안방 옷걸이에는 아직도 아빠 옷이 걸려 있고 벽에는 최근에 찍은 가족사진이 걸려 있다.

아빠는 베트남으로 떠나기 전날 불현듯 가족사진을 찍자며 식구들을 사진관으로 데려갔다. 사진관에서 정식으로 가족사진을 찍은 건 유치원 때 이후 처음이었다.

아빠는 아빠의 형, 그러니까 큰아빠가 베트남에서 새로 시작한 사업을 돕기로 했다고 말했다.

“형님이 다시 일어설 수 있도록 힘이 돼 주고 싶어서 그래.”

“꼭 아빠가 가야 해?”

난 가족이 흩어지는 게 싫었다.

“아빠가 하는 설비 일이 큰아빠 사업에 꼭 필요하대. 아빠라고 왜 고민을 안 했겠니? 가족을 두고 떠나는 게 마음 편한 일은 아니지.”

아빠는 내 눈을 맞추며 얘기했다. 그리고 한국에 자주 올 수 없으니 가족사진을 찍어서 집에 걸어 놓고, 한 장은 베트남에 가져가서 숙소에 걸어 놓겠다고 했다.

“다 같이 가면 되잖아.”

“아빠가 안정이 되어 있으면 다 데리고 가겠지. 더군다나 아빠가 일할 곳은 학교도 변변하지 못해서 너희들을 교육시킬 만한 곳이 못 된대.”

“그럼 이제 아빠 못 보는 거야?”

“일 년에 한 번은 볼 수 있을 거야. 아빠 없어도 엄마 말 잘 듣고 속 썩이지 마라. 그리고 영석이는 큰아들이 아빠 대신이라는 거 잊지 말고. 말 안 해도 알지?”

형은 대답하지 않았다. 고개를 푹 숙이고 있어서 눈을 떴는지 감았는지도 알 수 없었다.

나는 눈물이 나오려는 걸 간신히 참았다.

"나도 따라가면 안 돼?"

"말했잖아. 거긴 학교도 멀고 천막 같은 곳에서 공부해야 된대. 애들하고 말도 안 통해서 답답할걸. 그리고 얼마나 더운데."

아빠는 가면 안 되는 이유를 줄줄이 늘어놨다.

"그래도 영어는 배워 올 거 아냐?"

"거기는 영어 안 써. 베트남 어를 쓰지."

"치! 난 여기도 싫은데."

나는 입이 뾰로통해서 불만을 쏟아 냈다. 아빠는 그런 내 얼굴을 양손으로 감쌌다.

"우리 영진이는 씩씩하니까 엄마 잘 도와주고 공부도 열심히 할 거지?"

아빠는 다짐하듯 물었다.

"으응……."

나는 어쩔 수 없이 고개를 끄덕였다.

아빠는 이제껏 나를 한 번도 혼낸 적이 없다. 형과 비교될 정도로 나에겐 너그러웠다. 내가 무슨 말을 해도 웃었고 실수를 해도 괜찮다며 위로해 주었다.

사진 속에서는 엄마 아빠가 의자에 앉아 있고 형은 아빠 뒤에, 나는 엄마 뒤에 서서 환하게 웃고 있다. 가족 모두 해바라기처럼 웃고 있는 유일한 사진이다.

사진관에 가는 날도 형은 가기 싫다며 뒤처져 따라와서는 마지못해 사진을 찍었다.

나는 사진을 찍을 때마다 형이 부러웠다. 두루뭉술한 내 얼굴에 비해 이목구비도 또렷하고 키도 크니까. 아무리 봐도 나는 엄마를 닮았고 형은 아빠를 닮았다. 비록 아빠와 형 사이는 안 좋지만 형은 목소리까지 아빠를 빼닮았다.

전에 엄마가 형이 배달하는 걸 말리면서 하는 소리를 들었는데, 아빠도 십대부터 배달 일을 했다고 말했다.

"넌 어쩜 쓸데없는 것만 아빠를 닮았니? 네 아빠도 고등학교 중퇴하고 가스통 배달을 했는데. 나 참!"

"가스통 배달?"

옆에 있던 내가 더 놀라서 엄마에게 되물었다.

"그래, 그땐 가스통 배달이 정말 흔했어. 가스통을 오토바이 뒷자리에 싣고 달리면 무서워서 아무도 가까이 가지 못했지."

"와! 정말?"

난 아빠가 그렇게 무시무시한 일을 했을 거라고는 상상도 못 했다.

"하지만 위험한 일에 비해 돈벌이는 시원찮았어. 배달 일이라는 게 그렇잖니? 그래서 아빠는 공부를 더해서 기술을 배운 거야."

엄마는 형이 아빠를 닮아서 배달 일을 하고 있다는 건지, 배달 일을 그만두고 기술을 배우라는 건지 헷갈리게 말했다.

"엄마는 아빠가 배달 일을 해도 좋았어?"

"좋았지. 아빠 젊었을 땐 정말 멋졌거든. 근육도 울룩불룩하고."

엄마는 어깨에 손을 올려 가며 울룩불룩하다는 표현을 했다.

"엄마가 먼저 좋아한 거야?"

"솔직히 말하면 그렇지. 엄마가 도배 일을 간 집에서 가스배달을 시켰는데, 아빠가 가스통을 짊어지고 들어오는 거야. 그 모습을 보니 뭐랄까…… '미션 임파서블'에 나오는 톰 크루즈 같다고나 할까? 임무 수행을 멋지게 해내는 잘생긴 근육질 남자 말이야."

"큭큭! 톰 크루즈래."

나는 엄마 말을 듣고 웃음이 나와 참기 어려웠다. 지금 아빠

모습을 봐선 상상하기 힘든 비주얼이었다.

어찌 됐든 엄마와 아빠의 말을 종합해 보면 누가 먼저랄 것도 없이 둘이 동시에 반한 거였다.

"왜 웃니? 진짠데. 그때 미남 배달 왕과 미녀 도배 여왕이 만났다고 난리도 아니었어. 둘 다 그 분야에선 최고였거든."

엄마는 아빠가 그리운지 아빠와 연애 시절 얘기를 숨기지 않고 술술 털어놨다.

가족사진 옆에는 작은 액자가 걸려 있는데 거기엔 이렇게 쓰여 있었다.

'사랑은 오래 참고 사랑은 온유하며…….'

사실 난 오래 참는 건 알겠는데 온유한 건 잘 모르겠다.

엄마와 형을 기다리는 밤엔 정말 시간이 안 간다. 나는 텔레비전을 보다가 부엌으로 갔다. 먹을 거라곤 라면뿐이었다. 왜 심심하면 배가 고픈지 모르겠다.

냄비에 절반 정도 물을 붓고 가스레인지에 불을 켰다. 부드러운 버터링 쿠키가 생각났지만 참아야 했다. 주머니엔 백 원짜리 동전 두 개가 전부였으니까. 어쩌면 온유하다는 건 먹고 싶은 거나 갖고 싶은 게 있어도 엄마를 조르지 않는 걸까?

"조금만 참으면 우리도 잘살게 될 거야."

엄마는 재작년에 이 집으로 이사 온 뒤로 늘 이렇게 말했다.

우리 집이 원래 이렇게 가난하진 않았다. 아빠가 큰아빠의 보증을 서 주기 전까진 말이다.

한동안 큰아빠는 큰 사업을 한다며 아빠에게 투자하라고 우리 집에 여러 차례 다녀갔다. 그 일로 엄마와 아빠는 티격태격하며 다툴 때가 많았다.

"남도 아니고 하나밖에 없는 형님이 도와 달라는데 어떻게 외면해?"

"돈 거래는 가족이건 친구건 안 하는 게 상책이에요. 옛말도 있잖아요. 보증 잘못 서면 삼대가 망한다고."

"잘되길 빌어야지. 혹시 알아? 대박 나서 돈방석에 앉게 될지. 한몫 넉넉히 떼어 준댔으니까 믿어 보자고."

"난 아주버님이 미덥지 못해요. 저번에도 주식으로 큰돈 날렸잖아요."

"그럼 의를 끊을까?"

엄마와 아빠는 그때부터 사이가 나빠지더니 결국 큰아빠의 부도로 돈을 잃고 나서는 거의 말을 섞지 않았다.

엄마는 가구 절반을 버리고 이곳으로 이사 온 날 한숨을 푹

푹 내쉬며 말했다.

“내가 너희들 땜에 산다.”

이삿짐 정리할 생각은 하지도 않았다.

이사하는 날 아빠와 형은 용달차에서 잔짐을 내리느라고 바빴다. 나는 1인용 소파에 앉아 그 모습을 지켜봤다. 원래 4인용 소파인데 3인용은 버리고 왔으니 소파에 누워서 텔레비전 보는 건 이젠 물 건너 간 일이었다.

“야, 꼬맹아! 넌 엄마랑 걸레 빨아서 방 좀 닦아라. 더러워 죽겠다.”

형이 반지하 창문에 대고 큰 소리로 말했다.

엄마는 들은 체도 안 했고 나 역시 그대로 있었다.

형은 의외로 적응을 잘했다. 나는 당장 저녁에 잘 일이 걱정이었다. 어두컴컴한 반지하로 발을 들여놓기도 싫었다.

“저런 집에서 어떻게 자?”

내가 엄마 옆으로 다가가자 엄마는 소리 없이 눈물을 주르르 흘렸다.

“아빠는 왜 엄마 말 안 듣고 큰아빠 말을 들은 거야? 나한텐 맨날 엄마 말 잘 들으라면서.”

나는 엄마를 울린 아빠가 못마땅했다.

어릴 때는 다가구 주택에서 살았다. 거기는 꼭대기 층이라 어둡지 않고 여기보다 훨씬 넓었다. 그리고 내가 1학년일 때 새 아파트로 이사했다. 아파트에서는 엄마한테 계단 조심하라는 소리를 안 들어도 되고, 단지 안에 놀이터가 두 군데나 있어 찻길을 건너지 않아도 됐다. 이사한 날 엄마와 아빠도 기분이 좋은지 늦게까지 잠을 안 자고 소곤거리며 얘기를 나눴다.

그때만 해도 우리 가족이 이런 곳에서 살게 되리란 건 아무도 예상치 못했다.

아빠는 묵묵히 짐을 다 내려놓은 뒤 짜장면을 시켰다.

엄마는 그것도 먹지 않았다. 그때 아빠가 말했다.

"이거 더 먹을 사람?"

나는 더 달라고 말하고 싶었지만 엄마 얼굴을 보고 참았다.

"아무도 없군! 그럼 내가 먹어야겠다."

아빠는 아무렇지도 않게 엄마의 짜장면까지 '후루룩 후루룩' 딱 두 젓가락에 다 먹어 치웠다. 그 모습을 보자 갑자기 아빠가 악어처럼 보였다.

아빠는 트림까지 하며 이렇게 말했다.

"꺼억~ 너희들 내 말 잘 들어라. 이 아빠는 곧 다시 일어선다. 그래서 이전보다 더 좋은 집으로 이사 갈 거야."

“보증만 안 서면 그럴 수도 있겠지.”

엄마가 옆에서 비아냥거렸다.

“난 지금도 하나밖에 없는 형님이 돈 빌려 달라고 하면 빌려 줄 거다. 처자식도 중요하지만 형제도 그만큼 중요해. 그래서 피는 물보다 진한 거다.”

아빠의 신념은 흐트러지지 않았다.

“너희들은 아무리 피가 물보다 진해도 절대 서로 보증 같은 건 서지 마. 잘못하다간 둘 다 시궁창에 빠져서 이 꼴 나는 거니까. 알았지?”

엄마는 형과 나를 보며 다짐 받듯 물었다.

형과 나는 아무 말도 하지 않았다. 대신 아빠가 “젠장!” 하면서 1인용 소파를 걷어차고 밖으로 나갔다. 그때부터 나는 엄마 아빠가 다툴 때마다 신트림이 올라왔다.

반지하 생활에 어느 정도 익숙해질 무렵, 엄마 아빠가 다투는 소리도 점점 잦아들었다. 엄마는 결혼 전에 했던 도배 일을 다시 시작했고, 아빠는 건축 설비 일로 자주 지방으로 내려갔다. 그러다가 큰아빠가 베트남에서 사업을 시작한다는 얘기를 듣고 고심 끝에 그곳으로 가기로 결정한 것이다.

‘가려면 잘사는 나라로 갈 것이지…….’

베트남 사람들이 우리나라로 돈 벌러 오고 시집도 오는 건 우리나라가 더 잘사니까 그런 거 아닌가?

나는 가난한 나라에서 돈을 벌어 온다는 걸 이해할 수 없었다. 그래서 베트남이라는 나라에 대해 인터넷으로 샅샅이 조사했다.

"엄마, 너무 걱정하지 마. 베트남은 사업하기 좋은 곳이래. 우리나라 기업들도 많이 투자한대."

나는 아빠가 떠난 다음 날 엄마에게 베트남에 대해 설명했다. 엄마는 아무 말 없이 나를 안아 줬다.

7. 악당 배트맨

이틀째 비가 내렸다. 이제는 비가 내리면 덜컥 겁부터 났다.

뉴스에서는 '옛날 일은 잊어 줘'라는 노래처럼 반가운 가을비라고 했다.

"비는 다 싫어! 이슬비건 가랑비건 다 싫다고!"

머리를 쥐어뜯고 싶었다. 비에 대한 트라우마가 생긴 게 분명했다.

빗물이 집 안으로 쳐들어오진 않더라도 집 안이 온통 눅눅해져서 더 싫었다. 거기에 역겨운 쓰레기 냄새까지 방 안으로 스멀스멀 흘러 들어오자 머릿속까지 띵했다. 누군가 음식물 쓰레기를 안방 창문 앞에 두고 간 게 분명했다.

형은 스트레스 받는 정도가 나보다 훨씬 심했다.

“어떤 새끼야!”

CCTV 설치!

여기에 쓰레기 놓고 간 나쁜 놈!

반드시 잡고 말 거다!

형은 역시 악당 잡는 배트맨답게 곧바로 경고장을 써서 붙여 놨다.

저번엔 술 취한 사람이 창문에 대고 오줌을 싸자 달려가 멱살을 잡고 싸웠다. 결국 술 취한 아저씨는 온몸에 오줌을 묻히고는 노상방뇨로 처벌을 받았다. 그뿐만이 아니다. 후덥지근해서 창문을 열어 놓았는데 어떤 사람이 방 안을 기웃댔다. 그때도 형은 그 사람 얼굴에 에프킬러를 사정없이 뿌리고는 도망가는 사람을 붙잡아 경찰서로 끌고 갔다.

그 모습을 본 나는 정말 형이 우리 가족을 지키는 배트맨 같았다. 아빠의 빈자리를 형이 지켜 주니 든든하기까지 했다. 하지만 형은 여전히 늦게 들어오고 내 마음 같은 건 아랑곳하지 않았다.

이번 주부터 가을 체육 대회 준비가 시작됐다. 점심시간 이후엔 모두 운동장에 나가 체육 대회 연습을 했다. 준비 운동도 하고 단체 줄넘기 연습에 이어 오래달리기, 이단 뛰기, 높이뛰기 등등. 체육 대회가 마치 뛰는 운동 종합세트 같았다. 해마다 치르는 체육 대회가 재미없는 이유이기도 했다. 올해 추가된 종목은 댄스스포츠 한 가지뿐이다.

5학년도 청팀과 백팀으로 나뉘었는데 나는 청팀, 옆 반에 있는 은비는 백팀이 되었다. 응원하는 팀은 달랐지만 반이 달라서 좋은 것도 있었다. 마지막 시간에 댄스스포츠를 청백이 어우러져 함께 추기 때문이다.

나는 연습할 때부터 은비를 곁눈질로 보면서 은비 옆으로 슬금슬금 자리를 옮겨서 춤을 췄다. 내가 다가가자 은비 역시 싫지 않은 눈치였다. 은비는 내게 미소 지으며 나와 팔짱을 끼고 뱅글뱅글 돌고, 손뼉을 치고 또다시 뱅글뱅글 돌았다. 나는 이 황홀한 꿈이 계속됐으면 하고 바랐다.

그렇게 날마다 연습을 거듭하고 지칠 때쯤 드디어 체육대회 날이 되었다. 엄마는 낮에 시간을 내서 김밥을 싸 가지고 오겠다고 했다. 형은 내가 체육 대회 하는 것도 모르고 평상시와 다름없이 늦잠을 자고 있었다.

가방 없이 체육복 차림으로 학교로 향하니 마음까지 홀가분했다. 날씨도 가을답게 화창하면서 시원한 바람이 불었다.

'댄스스포츠 하기 딱 좋은 날이야.'

난 은비와 팔짱을 끼고 춤출 생각에 한껏 들떴다.

아침 조회가 끝나고 우리는 운동장으로 모두 쏟아져 나왔다. 선생님 호루라기에 맞춰 줄을 서고 준비 운동을 하면서 서서히 몸을 풀었다. 우리 반 아이들은 연습할 때보다 의욕이 넘쳐 보였다. 우리 팀이 이길 것 같은 확신이 들었다.

첫 시합은 이어달리기였다. 현민이가 첫 번째 주자로 달렸고 명수는 거의 맨 끝에 서 있었다. 나는 다섯 번째 주자였다. 현민이는 생각대로 날렵하게 달려 두 번째 주자에게 바통을 건넸다. 그런데 두 번째 주자가 바통을 패스할 때부터 이상하게 배속이 불편하더니, 내 차례가 다가올수록 점점 참을 수 없이 아팠다. 바통을 받긴 했는데 바통을 가지고 화장실로 줄행랑을 치고 싶었다. 식은땀을 흘리며 가다 서다를 반복했다. 결국 나 때문에 우리 팀은 꼴찌를 했다.

"영진아, 너 오늘 상태가 영 안 좋다."

현민이가 옆으로 와서 말했다.

"너 달리기 귀찮으니까 일부러 져 준 거지? 가다 쉬다 그게 뭐냐?"

명수도 어느새 다가와 깐죽이며 말했다.

"오랜만에 깐죽이 티내네. 진짜 배 아파서 그런 거니까 오해는 하지 말아 줘."

나는 배 아픈 건 둘째 치고 아이들한테 미안해서 고개를 들 수 없었다. 그런데 잠시 멈칫하다 또다시 배가 아팠다. 할 수 없이 선생님께 말하고 화장실로 뛰어갔다. 하지만 아무리 힘을 줘도 대변이 안 나오고 배만 아팠다. 나는 체육 대회를 기권하고 그늘막이 있는 운동장 계단에 앉아 아이들이 하는 걸 지켜봤다. 위에서 내려다보니 기를 쓰고 죽기 살기로 하는 애들도 있고 설렁설렁 시늉만 하는 애들도 있었다.

점심시간에 엄마가 찾아왔다. 나는 엄마가 올 때까지 배를 움켜쥐고 있었다. 엄마는 내 꼴을 보고 조퇴부터 하자고 했다. 하지만 난 다 빠져도 댄스스포츠는 빠질 수 없었다.

"마지막엔 참가할 거야."

"너무 무리하면 안 돼. 건강하라고 운동하는 건데……."

엄마는 양호실이라도 가자고 했지만 나는 끝까지 지켜보다 댄스스포츠에 참가했다. 그런데 옆 반 은비가 같은 줄에 설 줄 알았는데 연습할 때와 달리 뒤쪽에 가 있었다. 아픈 걸 참고 기다린 보람이 없었다. 아무리 뒤로 가려 해도 거리도 멀었고, 옆에 덩치 큰 여자애가 가로막고 있어서 갈 수가 없었다. 그 애는 비켜 줄 생각도 않고 내 팔짱을 꼈다.

'헉! 이럴 수가.'

나는 속상한 상태로 춤을 췄다. 그런데 뱅글뱅글 도는 박자에서 속이 미식거리더니 머리까지 어지러웠다. 순간 몸이 휘청했다. 나는 덩치 큰 여자애를 붙들고 꿀렁꿀렁한 배를 진정시키려다 결국 토해 버렸다.

"아악! 이게 뭐야?"

옆 반 여자애가 기겁해서 소리쳤다.

나는 그 자리에 쓰러지고 말았다. 순식간에 아이들이 내 주위로 모여들었다. 현민이와 명수가 가장 먼저 달려왔다.

"야, 너 왜 그래?"

명수가 나를 흔들었다. 현민이는 선생님을 불렀다.

나는 그 와중에도 정신은 혼미했지만 은비가 나를 내려다보는 것은 확실히 알 수 있었다.

'보지 마. 저리 가…….'

나는 은비가 추한 내 모습을 보지 않았으면 싶어 속으로 되뇌었다.

운동장에 누우니 조금 편해지는 것 같았다. 그런데 점차 하늘에 하얀 천을 덮어 놓은 듯 희뿌옇게 보이더니 내가 도는지 하늘이 도는지 구분이 안 갈 정도로 빙글빙글 돌았다.

'아직 댄스스포츠가 안 끝난 건가…….'

나는 속으로 생각하다 스르르 눈을 감았다. 그때 엄마 목소리가 귓전에 들렸다.

"영진아! 정신 차려!"

엄마는 나를 업고 달렸다. 속이 울렁거리자 또다시 엄마 등에 토했다. 엄마는 큰길에서 택시를 잡아타고는 병원으로 데려갔다.

의사 선생님은 내 몸에 청진기를 대고 여기저기 살폈다.

"급성 장염입니다."

나는 의사 선생님이 입원하라고 하길 바랐다. 창피해서 내일 학교에 가기 싫었다. 입원했다고 하면 애들이 큰 병인 줄 알고 이해해 주지 않을까? 하지만 토한 모습을 은비한테 보이다니……. 은비가 나를 어떻게 생각할지 걱정이 앞섰다. 더럽다고 할까? 아니면 비실이로 여길까? 생각만 해도 낯 뜨거웠다.

'내가 입원하면 친구들과 은비가 병문안을 올 수도 있지 않을까…….'

내가 이런저런 생각을 하는 동안 엄마가 의사 선생님께 먼저 말을 꺼냈다.

"약 먹으면 나을까요?"

"그럼요. 집에 가서 푹 쉬게 하세요. 소화 잘되는 죽 먹이시고요."

의사 선생님의 처방은 간단했다.

'세상에 이렇게나 아프고 쓰러지기까지 했는데 입원을 안 시키다니……. 얼마나 아파야 입원하는 거지?'

나는 의사 선생님이 너무 쉽게 처방하는 것 같아 야속했다.

다음 날까지 배는 계속 아팠다. 아무래도 큰 병에 걸렸는데 의사 선생님이 잘못 찾아낸 것 같았다.

"엄마, 오늘 학교 가지 말고 쉴까?"

"학교는 가야지. 오늘 하루만 잘 견디면 나을 거야."

엄마는 죽을 끓이며 대답했다.

나는 엄마가 싸 준 죽을 급식 대신 먹었다. 그리고 아이들이 보는 앞에서 입을 크게 벌리고 약을 탈탈 털어 넣었다.

담임 선생님이 다가와 괜찮겠냐고 물어서 나는 참을 만하다고 대답했다. 그리고 수업 시간 내내 통증이 반복됐지만 끝까지 버텼다.

학교가 끝나고 현민이와 명수가 집까지 가방을 들어 주겠다고 했다.

"됐어. 죽을병도 아니고 장염 걸린 거 가지고 환자 취급하지 마."

난 단박에 거절했다.

"짜식! 센 척은."

현민이와 명수는 내가 가방을 뺏어 들자 오히려 서운한 눈치였다. 친구의 호의를 무시한다고 생각하는 것 같았다.

교문 앞에서 난 "내일 보자!" 하며 손을 흔들고 친구들보다 앞서 집으로 갔다.

집에 오자마자 이불 속으로 쑤욱 들어갔다. 모든 게 귀찮았다. 형은 내가 평상시와 달라 보였는지 먼저 말을 시켰다.

"너, 고민 있냐? 왜 그렇게 기운이 없냐? 혹시 누가 괴롭히는 거 아냐? 그런 놈 있으면 숨기지 말고 말해라. 이 형님이 혼내 줄게."

형은 내게 무슨 책임감 같은 걸 느끼는지 엉뚱한 말을 했다.

"그런 거 아냐. 급성 장염인데 쪽팔려서 그래."

"장염이 왜 쪽팔려?"

"애들 앞에서 토했단 말이야."

“치, 난 또 뭐라고. 그딴 건 며칠 지나면 다 잊어버리니까 신경 쓰지 마.”

“그게 아니란 말이야.”

내 마음을 알 리 없는 형이 답답해서 이불을 머리끝까지 덮어썼다.

화창한 날이 며칠 이어지더니 또다시 비가 내렸다. 체육 대회가 끝난 뒤로 심심하면 한 번씩 비가 왔고 그때마다 기온이 뚝뚝 떨어졌다.

“저녁엔 보일러 온도 올리고 자라. 밥 거르지 말고.”

엄마의 짧은 당부였다.

엄마는 오늘 아침 천안으로 출장 도배를 갔다. 새로 지은 아파트 도배를 맡아 얼마간 그곳에 머물며 밤낮 없이 일해야 한다고 했다.

어젯밤 엄마한테 갈비 냄새가 났다. 큰 공사를 따내 회식을 하고 왔다고 했다. 나는 강아지처럼 킁킁대며 갈비가 먹고 싶다고 했다. 그러자 엄마가 모처럼 용돈을 넉넉하게 줬다. 나는 용돈을 받아서 기분은 좋았지만, 형과 단둘이 지낼 생각에 걱정이 앞섰다.

엄마가 없으면 형이 나를 귀찮게 할 것 같았다. 아니나 다를까 형은 엄마가 집을 나서자마자 엄포를 놓았다.

"밥하고 청소하는 건 네가 해라."

"그런 게 어딨어! 그럼 형은 뭘 할 건데?"

"이 형님은 돈 벌잖냐. 나쁜 놈들도 잡고 말이야. 내가 보통 사람이냐?"

형은 정말 엉터리다. 짐작은 했지만 집안일을 몽땅 나한테 맡길 줄은 몰랐다.

나는 학교에서 오자마자 가방을 던져 두고 밖으로 나왔다. 아빠도 없는 데다 엄마까지 출장을 가서 마음이 더 허전했다. 마치 고아가 돼 버린 기분이었다. 햇빛도 안 드는 집에 혼자 있기도 싫었다.

낮부터 이곳저곳을 기웃대며 동네를 돌아다녔다. 피시방에서 게임을 두어 시간 하고 집에 오는 길에 새끼 고양이 한 마리를 발견했다. 그 녀석은 음식물 쓰레기를 뒤지고 있었다. 태어난 지 얼마 안 된 것 같은 검은색 고양이였다.

"귀여운데."

나는 인형처럼 생긴 조그만 새끼 고양이를 한참 동안 서서 바라봤다.

그 녀석은 눈이 마주치자마자 나를 노려보았다.

"치! 뭐야, 쪼그만 게."

새끼 고양이까지 나를 얕보는 것 같아 기분이 좋지 않았다.

과자를 사 들고 집에 들어와 학습지를 풀었다. 생각보다 어렵지 않았다.

형은 엄마가 출장 간 이후에도 계속 늦었다. 나는 텔레비전과 시계를 교대로 보며 형을 기다렸다. 하지만 어두침침한 반지하에서 혼자 어둠을 맞이하기 싫어 밤마다 동네를 어슬렁거렸다.

현민이와 명수는 지금 뭐하고 있을까? 현민이는 학원에서 아직 안 돌아왔을 거고, 명수는 할머니와 저녁을 먹고 있으려나…….

난 친구들을 불러내고 싶은 마음이 간절했지만 참기로 했다. 마땅히 놀 만한 장소도 없고 그렇다고 우리 집으로 부를 수도 없으니까.

늦은 시간이라 밖에서 노는 아이들이 없었다. 골목 어귀에 있는 포장마차로 가서 붕어빵을 샀다. 아저씨는 재료비가 올랐다고 지난해보다 하나 적게 줬다. 붕어빵을 한입 크게 베어 물다가 뜨거운 팥에 혀를 덴 것 같았다.

큰길로 가서 형을 기다려야겠다고 생각했다. 형과 같이 붕어빵을 먹고 싶었다.

한참을 기다려도 형은 오지 않았다. 전화를 걸까 생각했지만 형과 통화하기란 내가 성적표에 올 수를 맞는 것만큼이나 힘든 일이었다. 배달할 땐 전화를 안 받고 늦은 밤엔 전화기가 대체로 꺼져 있었다.

형은 어제도 늦게 들어와서 악당을 물리치고 왔다고 큰소리를 쳤다. 그래서 그런지 몹시 지쳐 보였다. 옷에는 흙탕물까지 잔뜩 묻어 있었다.

"형! 일찍 좀 들어올 수 없어!"

나는 엄마처럼 형한테 잔소리를 했다. 혼자 있기 무섭다고 말하진 않았다. 형은 내 말엔 아랑곳하지 않고 발로 내 다리를 툭툭 치며 심부름을 시켰다.

"야, 라면 좀 끓여 와."

"형은 손이 없어? 왜 나한테 시켜!"

말이 끝나기가 무섭게 형은 내게 꿀밤을 먹였다.

"아얏!"

"원래 동생이 형님을 잘 모셔야 하는 거야. 형님 먼저, 그런 소리도 못 들었냐?"

형은 억지를 써서라도 기어코 나를 부려 먹었다. 나는 그런 형이 못마땅하고 싫지만 함부로 덤빌 수도 없었다. 화가 나서 안 들어오기라도 하면 나만 손해였다.

아빠는 베트남으로 떠나기 전에 형을 아빠처럼 생각하라고 했다. 나는 그 말을 듣고 아빠가 영영 돌아오지 않을 것 같아 두려웠다.

"베트남 가서 언제 올 건데?"

"자주는 못 와도 1년에 한 번은 오도록 할게. 전화는 자주 할 거고."

"그런 거 말고 진짜 한국에서 같이 사는 거 말이야."

"거기 일이 끝나려면 최소한 3년 정도 걸릴 거 같다. 3년 금방이야."

아빠는 3년을 내일모레쯤으로 말했지만, 나는 3년이라는 시간이 아무리 손을 뻗어도 닿지 않는 구름처럼 턱없이 멀게만 느껴졌다.

아빠 생각을 하며 형을 기다리는 사이, 찻길에서 오토바이가 시끄러운 경적을 울리며 지나갔다. 치킨 배달 오토바이가 신호를 무시하고 혼자 정지선을 넘어 달리고 있었다. 그때 승용차에 탄 아저씨가 창문을 내리더니 큰소리로 욕을 해댔다.

“야, 새꺄! 죽고 싶어 환장했냐!”

치킨 배달 오토바이는 그깟 일은 아무것도 아니라는 듯 노란 닭이 그려진 배달통을 짊어지고 사라졌다.

‘배달이 밀렸나?’

나는 배달하는 입장이 되어서 승용차에 탄 사람이 심하다 싶은 생각이 들었다. 형이 오토바이를 타고 다니고부터는 오토바이 탄 사람을 보면 왠지 남 같지 않았다.

버스 정류장 쪽으로 걸어갔다. 형이 버스를 타고 오는 건 아니지만 정류장 근처가 기다리는 장소로 알맞아 보였다. 솔직히 말하면 형이 좋아서 기다리는 건 아니다. 혼자 있기 무서우니까 마중 나온 거다. 아빠랑 같이 살 때는 겁나는 게 없었는데, 지금은 밤에 혼자 있으면 시꺼먼 그림자가 자꾸 나타났다.

밤이 깊을수록 큰길엔 오가는 사람이 뜸해졌다. 나는 식어버린 붕어빵을 점퍼 속에 넣고 두 손을 주머니에 찔러 넣었다. 그때였다. 길 건너편에서 헬멧을 쓰고 검은 점퍼를 입은 남자가 어떤 애한테 겁을 주고 있었다. 나는 못 본 척했다. 그런데 자꾸 눈이 그쪽으로 갔다.

그 애는 가방에서 무언가를 꺼내 남자에게 주고 달아났다. 도로 옆에는 눈에 익은 오토바이가 세워져 있었다. 헬멧을 쓴 남자는 건너편에 있는 나를 잠시 뚫어지게 쳐다보더니 오토바이를 몰고 사라졌다.

'설마 형?'

나는 제발 형이 아니길 바라며 머리를 세차게 흔들었다.

'밤이라 내가 잘못 봤을 거야. 하지만…….'

형은 학교에 다닐 때도 뒷골목에서 아이들을 때리고 돈을 뺏는다고 선생님한테 자주 연락이 왔었다. 형이 아무리 아니라고 해도 평소 태도와 단정치 못한 차림새를 보면 누가 봐도 불량 청소년이어서 의심을 피해 가긴 힘들었다.

'지금은 오토바이를 타고 다니면서 나쁜 짓을 하는 건가?'

난 말로만 듣던 사고뭉치 형의 모습을 현장에서 목격하자 심장이 덜컥 내려앉는 것 같았다.

이곳으로 이사 오기 전, 나도 저런 비슷한 일을 겪은 적이 있다. 그래서 도망간 아이가 얼마나 두려웠을지 짐작이 되고도 남았다.

그 당시 나보다 키가 한 뼘 정도는 더 큰 형들이 내 앞을 가로막았다.

"맞기 싫으면 돈 내놔."

"없는데요."

"나오면 십 원에 한 대씩이다."

나는 벌벌 떨며 보내 달라고 애원했다.

"잘못했어요. 보내 주세요."

"야, 네가 뭘 잘못해? 너 무지 웃긴다. 퉤!"

형들은 길에다 침을 뱉고 낄낄대며 웃었다.

그때 멀리 아저씨 한 사람이 지나갔다. 난 순간적으로 아빠였으면 하고 바랐다. 그러다 진짜 큰 소리로 "아빠!" 하고 부르며 달려갔다. 지금껏 아빠라는 말을 그렇게 크게 부르긴 처음이었다. 다행히 아저씨는 아파트 단지 과일가게 아저씨였다.

"아저씨, 저 형들이 때리려고 해요."

나는 아저씨한테 조용조용 말했다.

"뭐?"

아저씨가 내 말을 듣고 주변을 둘러봤지만 형들은 이미 사라지고 없었다.

집에 와서도 한참 동안 쿵쾅거리는 가슴을 진정시키기 힘들었다. 바지 주머니를 뒤져 보니 천 원짜리 한 장이 나왔다. 만약 도망치지 못했다면 십 원에 한 대씩이니까 백 대를 맞을 뻔한 거다.

그 뒤로 나는 몇 달은 그 길로 다니지 못했다.

형은 맞고 돈까지 뺏기는 아이들의 심정을 알까? 악당 잡는 배트맨이 아니라 약한 사람을 괴롭히는 동네 깡패라면 난 형을 버리기로 마음먹었다.

8. 길고양이처럼

형은 고양이를 닮았다. 어느 책에서 보니까 고양이는 스스로 결정을 내리고 본능대로 움직인다고 했다. 형 역시 뭐든 마음대로 하지 않는가.

이 동네에 많은 길고양이도 주인 말은 듣기 싫고 제멋대로 살고 싶어서 뛰쳐나온 걸까?

형이 중학교에 다닐 때 엄마는 아침마다 늦잠 자는 형을 깨웠다.

"지각하지 말고 학교로 곧장 가. 선생님 말씀 잘 듣고."

아침에 하는 말도 늘 똑같았다.

"내가 초딩이야?"

"저번처럼 딴 데로 샐까 봐 그러지. 그럼 절대 안 된다. 알았지?"

엄마는 형이 못 미더워 노심초사하며 당부에 또 당부를 했다. 옆에서 보기 딱할 정도였다.

"다른 애들 다 입는 메이커 점퍼도 안 사 주면서 잔소리는!"

형은 그때마다 순순히 대답하지 않고 볼멘소리로 답했다.

나는 형이 책상에 앉아 있는 걸 본 적이 없다. 잠자는 시간 외엔 집에 잘 붙어 있지도 않았다. 가끔 얼굴에 피멍이 들어서 온 적도 있는데 밖에서 무슨 일이 있었는지 시시콜콜 말해 주지도 않았다.

"형, 누구한테 맞았어?"

"이 형이 누구한테 맞을 사람이냐!"

형은 그때도 큰소리를 쳤다. 그런데 언제부턴가 못 보던 메이커 점퍼와 비싸기로 소문난 신발을 신고 다녔다. 새것은 아니었지만 집에서 사 준 것도 아니었다.

"이거 어디서 난 거니?"

엄마가 빨랫감을 세탁기에 넣으려다 말고 형에게 물었다.

"친구한테 빌린 거야."

알아보니 형은 학원도 제대로 다니지 않았고 학원비도 내지 않은 상태였다.

엄마는 학원비를 어디에 썼는지 다그쳤지만 형은 끝까지 입을 다물었다. 결국 형은 물론, 덤으로 나까지 학원을 못 다니게 돼 버렸다.

"아무도 내 말을 믿지 않아! 정말 죽어 버리고 싶어."

"형이 잘못했잖아?"

"넌 가만히 있어. 네가 뭘 안다고 그래. 선생님이나 엄마나 아빠나 다 똑같아! 한번 찍히면 영원히 나쁜 놈 취급을 한단 말이야. 내가 어떤 상황인지 알려고 하지도 않고 말이야!"

형은 주먹을 불끈 쥐고 벽을 때렸다. 정말 아플 것 같았다.

지금 생각하면 혹시 그때 형한테 여자 친구가 생긴 게 아니었을까 하는 생각이 든다. 나도 은비를 좋아하게 되면서부터 멋지게 보이고 싶어서 옷과 신발에 관심을 갖게 되었으니까.

내가 만약 은비와 사귄다면 둘이 맛있는 것도 사 먹고 은비가 갖고 싶어 하는 거는 뭐든 사 줄 마음의 준비가 돼 있다.

은비는 체육 대회 이후에도 복도에서 만나면 변함없이 미소를 지었다. 나를 걱정하고 있었던 게 분명했다. 아무래도 좋아하는 여자 친구에게 자연스럽게 다가가는 법이라도 배워야 할 것 같았다.

난 연애 경험이 많아 보이는 형한테 조심스럽게 물었다.

"형, 여자 친구 있어?"

"쪼끄만 게. 관심 끊어라."

형은 내 말을 단박에 잘라 버렸다. 형이 여자 친구 얘기를 털어놓으면 나도 은비 얘기를 해 줄 텐데……. 야속한 형!

날씨가 하루가 다르게 추워졌다. 더 추워지기 전에 엄마가 돌아왔으면 싶었다. 엄마는 통화를 해도 곧 갈 거다, 거의 끝나간다는 대답뿐 기약 없이 미루기만 했다.

'설마 엄마 아빠가 우릴 버린 건 아니겠지?'

갑자기 엉뚱한 의심이 생겼다.

오늘 밤도 형을 마중 나갔다. 형과 미리 약속을 한 것도 아니기에 만나지 못할 거란 걸 알면서도 혼자 있기는 정말 싫었다. 한참을 큰길에 서 있다가 집으로 돌아섰다.

바람에 낙엽들이 흩날렸다. 어디선가 고양이 울음소리가 들렸다. 반사적으로 주위를 두리번거렸지만 고양이가 어디에 숨어 있는지 알 수 없었다.

"넌 왜 밤마다 숨어서 야옹거리냐? 비겁하게."

나는 혼잣말로 중얼거리며 반지하 계단으로 내려갔다. 들어가기 싫었지만 어쩔 수 없었다. 주머니에서 현관 키를 꺼냈다. 아파트에 살 때는 번호 키라 편했는데, 나갈 때마다 현관 키를 챙겨야 한다는 게 정말 불편했다.

철컥! 소리를 내며 문이 열렸다. 순간 검은 그림자가 쓱 지나갔다. 나는 무서운 마음을 떨쳐 버리려고 현관문을 활짝 연 채 스위치를 찾아 불을 켰다.

반지하의 퀴퀴한 냄새가 코를 간질였다. 나는 재채기를 한 차례 크게 했다.

“어, 어, 어…… 에취!”

요즘 나갔다 들어올 때마다 재채기 인사가 빠지지 않는다.

환기시키려고 안방 창문을 열자 또다시 고양이 울음소리가 났다. 아기가 우는 소리 같았다. 손전등을 꺼내 이곳저곳을 비춰 봤다. 구석이었다. 담장 틈새 후미진 곳에 검은색 새끼 고양이가 있었다.

며칠 전 쓰레기를 뒤지던 녀석 같았다.

‘길을 잃었나?’

난 강아지라면 모를까 고양이는 별로 좋아하지 않는다. 충성심이 강한 강아지는 영화로도 만들어지고 동상까지 세워졌다고 들었지만, 고양이에 대해서는 그다지 좋은 얘기를 들어 본 적이 없다. 강아지가 환한 대낮이라면, 고양이는 어두운 밤처럼 생각됐다. 그런데 왠지 저 녀석만은 친근하게 느껴졌다.

"야, 넌 어디서 왔니? 엄마 어딨어?"

나는 새끼 고양이를 쳐다보며 이것저것 물었다. 새끼 고양이가 내 말을 알아듣고 대답해 줄 것만 같았다. 장난감하고도 느낌이 통하는데 내 속마음을 이해해 주는 게 꼭 사람이어야 할 이유는 없었다.

어릴 적 난 개미랑 잘 놀았다. 개미를 보고 있으면 시간 가는 줄 몰랐다. 대야에 물을 받아 놓고 종이배를 띄워 개미를 태워 주기도 하고 지루하면 물에 빠뜨려 허우적거리는 걸 보기도 했다. 가끔은 개미집을 흙으로 막거나 개미구멍을 들쑤셔 놓은 적도 있다.

내가 악당 노릇을 하고 있다는 생각이 들었지만 묘한 쾌감도 있었다. 개미들은 부지런히 무너진 집을 복구했다. 그리고 다친 개미를 옆에 있던 개미들이 힘을 합쳐 질질 끌고 가는 것을 보고 개미도 사람하고 똑같다는 생각이 들었다. 그래서 그 뒤로는 살아 움직이는 건 무엇이 되었든 괴롭히지 않기로 마음먹었다.

"야옹아, 밥 먹었니?"

나는 새끼 고양이가 쓰레기봉투를 뒤적거리던 생각이 났다.

새끼 고양이는 내가 말을 시켜도 꿈쩍하지 않았다. 그런데 자세히 보니 새끼 고양이가 붉은색 천을 깔고 앉아 있었다.

"헉! 저건 내 티셔츠!"

월드컵 응원할 때 입으려고 했는데 아무리 찾아도 보이지 않았던 티셔츠였다. 새끼 고양이가 집 안으로 들어왔을 리는 없고, 옷걸이가 옆에 있는 걸로 봐서 옥상에 널어놓은 빨래가 바람에 날려서 떨어진 것 같았다. 아깝다는 생각이 들었다.

창문으로 서늘한 바람이 들어왔다. 나는 식어 버린 붕어빵 하나를 새끼 고양이에게 던져 주고는 창문을 닫았다.

형은 오지 않고 잠도 오지 않았다. 시간이 갈수록 정신이 말똥말똥해졌다. 불을 끄고 누워서 천장을 바라봤다. 아빠가 천장에 붙여 놓은 야광 별이 선명하게 빛나다 이내 사그라졌다.

이사 온 다음 날, 아빠는 내가 이 집이 싫다고 말하자 문방구에서 야광 별을 사 왔다. 그리고 천장에 붙여 주며 이렇게 말했다.

"영진아, 밤하늘의 수많은 별들을 떠올려 봐. 그 넓은 우주에서 인간은 작은 지구에서 생겨났고 불모의 땅이나 바다를 제

외하면 차지하는 땅도 얼마 되지 않는데 이뤄 놓은 게 얼마나 많니? 저 넓은 우주의 신비로움까지 캐내고 정복하려고 하잖아. 영진아, 좁은 집에서 산다고 꿈까지 작아서는 안 된다."

아빠는 나를 어린애로 생각하고 어떻게든 위로하려 애썼다.

나는 마지못해 고개를 끄덕였고 야광별이 유치하다고 생각했다. 하지만 아빠와 함께 누워 밤하늘을 보듯 야광별을 바라보는 건 좋았다. 그때 갑자기 형이 문을 벌컥 열고 들어왔다.

"쪽팔려서 내가 집에 들어오기가 싫다니까!"

형은 가방을 내던지며 말했다. 사춘기의 정점을 찍고 있는 것처럼 보였다.

아빠는 형이 투덜거리는 소리를 듣고 벌떡 일어났다.

"그럼 들어오지 마! 나는 널 보면 쪽팔려. 사내놈이 하고 다니는 꼬락서니하고는."

아빠는 형을 보면 쉽게 흥분했다. 하지만 사실은 나도 형과 같은 마음인데 거칠게 표현하지 않고 있을 뿐이었다.

그즈음 나는 형에게 여자 친구가 있다는 걸 눈으로 직접 확인했다. 그동안 미심쩍긴 했지만 형이 내색하지 않아 캘 수가 없었는데 말이다.

친구 집에서 모둠 활동 숙제를 하고 집으로 가는 길이었다.

형이 여자 친구를 전에 살던 아파트 근처로 바래다 주는 것을 봤다. 여자 친구는 언뜻 봐도 정말 예뻤다. 형은 여자 친구 어깨에 손을 올리고 걸어갔다. 나는 아파트 뒤에 숨어서 형이 하는 행동을 지켜봤다.

형이 여자 친구를 들여보내면서 주변을 슬쩍 둘러봤다. 뽀뽀를 하려는 것 같았다. 나는 호기심이 발동해서 조금 더 다가가서 봤다. 그때 형과 눈이 마주쳤고 숨어서 본 내가 더 민망해서 정신없이 도망쳤다.

그날 밤 형이 먼저 내게 말을 건네 왔다.

"봤냐?"

"응."

"엄마 아빠한테 말하면 죽어."

"응. 근데 같은 학교 다녀?"

"응."

"우리 살던 아파트에 살아?"

"응."

형과 나는 단답형의 짧은 대화를 마쳤다. 그걸로 충분했다.

나는 형이 이 집으로 이사 온 걸 창피해할 충분한 이유가 있다고 생각했다. 형이 머리를 빨갛게 염색한 이유도 알고 있다.

그건 일종의 경고 같은 거다. 가까이 오지도 말고 간섭하지도 말라는 접근 금지 표시. 형이라고 빨갛게 염색하면 튄다는 걸 모를 리가 없다.

작년 여름 형이 자퇴하기 얼마 전, 형이 교장실에 불려 가고 엄마도 급히 학교로 달려갔다. 저녁이 돼서야 두 사람은 검은 그림자를 달고 집으로 돌아왔다.

"어휴! 언제까지 이 짓을 해야 하는지……."

엄마가 한숨을 쉬며 말했다.

"그 새끼! 내가 죽여 버리려다 참았어!"

형은 누구한테 하는 욕인지 험한 말을 마구 내뱉었다.

아빠가 퇴근하고 나서 엄마와 하는 얘기를 들어보니 형이 다른 반 친구를 흠씬 두들겨 패서 전치 4주 진단이 나왔다고 했다. 그쪽 부모가 형사 입건시키겠다고 덤비는 걸 간신히 합의로 끝냈다고 했다.

"이런 일이 한 번만 또 있으면 합의고 뭐고 내가 널 가만 안 둘 거야!"

아빠가 목에 핏대를 세우며 소리쳤다.

"그 새끼가 잘못한 거라고! 왜들 내 말은 안 믿고 그래?"

"어찌 됐건 네가 폭력을 썼잖아?"

엄마마저 형 편을 들지 않았다.

"걔는 전교에서 1, 2등하는 우등생이라던데."

"난 공부를 못하니까 당해도 싸다는 거야? 걔가 먼저 시비를 걸었다고!"

형이 억울해하며 소리쳤다.

"네가 뭘 잘못했겠지. 걔네 부모가 교수라며? 나더러 가정교육 잘 시키라고 훈계까지 하더라."

"뭐? 그 새끼가 어떤 새낀지 알아? 집에서 공부하라고 몽둥이로 때리니까 그 화풀이를 밖에서 하는 거라고. 알 만한 애들은 다 알아!"

"그런 애가 어떻게 그렇게 공부도 잘하고 예의까지 바르다고 선생님들 칭찬이 자자하겠냐?"

"공부만 잘하면 다야? 공부만 잘하면 다 용서되는 거냐고!"

"용서되니까 너도 한번 이 악물고 해 봐."

"그 새끼 엉덩이 멍든 것도 내가 때린 게 아니라 그 새끼 아빠한테 맞은 건데 나한테 덤터기 씌운 거야. 알지도 못하면서. 난 멱살 잡고 땅바닥에 패대기만 쳤다고!"

형은 씩씩대며 억울함을 호소했다. 하지만 부질없는 메아리였다.

“그러니까 왜 쌈질을 하고 다녀?”

“아악! 사이코 같은 자식!”

형이 소리를 지르며 밖으로 뛰쳐나갔다. 세상에 형 편은 아무도 없는 거 같았다.

엄마와 아빠는 곧 돌아올 거라 생각했는지 형에 대해 별 걱정을 하지 않았다. 하지만 시간이 지나도 들어오지 않으니 엄마는 설거지를 하다 말고 벽시계를 보며 안절부절 못했다.

“사내아이 둘 키우기가 얼마나 힘든데, 아빠라는 사람이 애들 교육에 통 관심이 없으니까 애가 빗나가는 거잖아요.”

엄마가 TV를 보는 아빠에게 시비조로 말했다.

아빠와 나는 ‘동물의 세계’를 보고 있었다. 하이에나들이 사자가 남겨 놓은 새끼 얼룩말 시체를 뜯어 먹는 장면이었다.

“내가 왜 애들한테 관심이 없어?”

아빠 인상이 일그러졌다.

“당신이 보증만 안 섰어도 이보다 나은 환경에서 살았을 거 아니냐고요?”

“또 내 탓이군!”

“애들한테 환경이 얼마나 중요한데…….”

"조용히 좀 해."

아빠가 큰소리를 치자 엄마 목소리가 조금 수그러들었다. 하지만 엄마와 아빠가 얘기를 길게 하는 날엔 한 번도 조용히 끝난 적이 없다.

"옛날엔 한방에서 다섯 식구가 살았어도 불평 없이 착하게 잘 살았어."

"지금이 옛날이에요? 그렇게 노인네 같은 생각을 하고 사니 요즘 애들이 뭘 보고 뭘 생각하는지 모르죠. 꼰대 소리나 듣고."

"그렇게 잘 아는 당신은 자식이 무슨 짓을 하고 다니는지 알아서 애가 그 모양이야! 불량 청소년이라는 소리나 듣게 하고 말이야."

엄마와 아빠의 목소리가 점점 커지고 시간은 계속 흘러갔다. 엄마가 시계를 다시 봤을 땐 새벽 1시가 다 돼 가고 있었다.

그제야 아빠는 대놓고 형 걱정을 했다.

"이 자식이 지가 뭘 잘했다고 들어오지도 않아?"

아빠가 점퍼를 입으며 말했다. 형을 찾으러 나서는 것 같았다. 하지만 아빠는 새벽 2시가 넘어 허탈한 표정으로 혼자 돌아왔다.

형이 집을 나가고 나서 이틀 뒤에 형 전화를 받았다.

"엄마 집에 있냐?"

"아니."

"그럼 살짝 공원으로 내 옷 좀 갖다 줘."

"알았어."

난 옷장에서 티셔츠 두 벌과 트레이닝 바지를 꺼내 가지고 공원으로 갔다.

공원 벤치에 앉아 있는 형을 보자 눈물이 왈칵 쏟아질 것 같았다. 심하게 더러워진 옷을 입은 형은 마치 노숙자 같았다.

"어디 있었어?"

나는 복받치는 감정을 조절하며 침착하게 물었다.

"친구 집에."

"언제 들어올 거야?"

"곧. 그 새끼 처단하고."

"형, 그러지 마. 그러다 진짜 감옥 가면 어쩌려고 그래?"

"내 말을 아무도 안 믿으니까 그러지. 친구랑 같이 있는데 그 새끼가 먼저 시비를 걸었다고."

"난 형 말 믿어."

"치."

형은 코웃음을 쳤지만 내 말을 듣고 기분이 한결 나아진 듯 보였다.

"여자 친구랑 같이 있었어?"

"응."

"형 여자 친구가 예쁘니까 샘나서 그런 거 아닐까?"

"그 새끼 땜에 걔하고도 멀어졌어. 학교에 이상한 소문이 쫙 퍼졌다니까. 나쁜 새끼!"

형은 그때 일이 또다시 떠오르는지 욕을 했다.

내가 묻는 말에 고분고분 대답해 주는 걸 보면 나를 형 편으로 인정하는 것처럼 보였다.

"엄마한텐 나 만났다고 하지 마."

형은 그 말을 남기고는 일어섰다.

"빨리 와야 해, 형아!"

난 형 뒤통수에 대고 소리쳤다.

일주일이 지난 어느 날, 형이 집에 돌아왔지만 엄마와 아빠는 형을 유령처럼 대했다.

가끔 엄마만 나한테 "형 밥 먹디?" 하고 조용히 물었다.

그렇게 형의 가출은 대책 없이 시작되었다. 그 뒤로도 계속.

'형에게 시비 건 그 새끼는 지금 고등학교에 잘 다니고 있겠

지?'

정말 그것이 알고 싶었다.

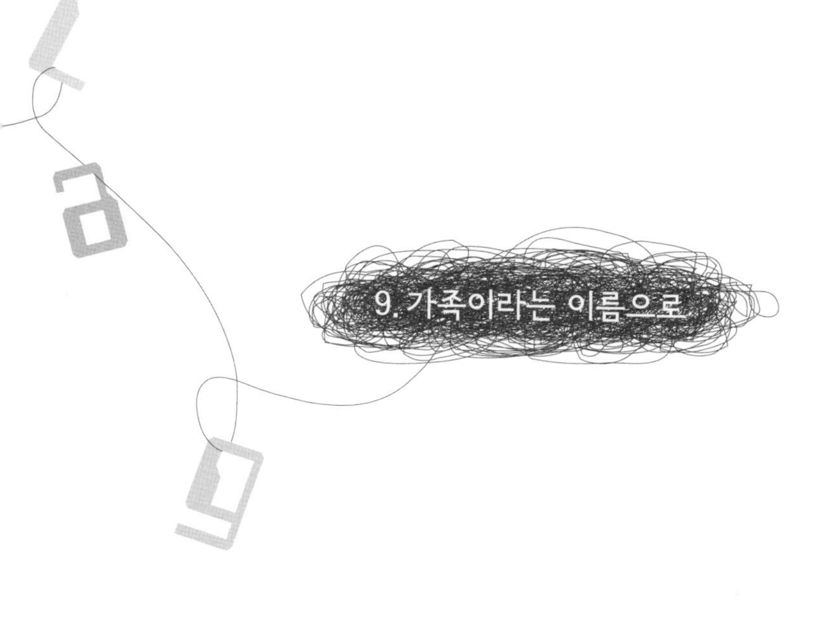

9. 가족이라는 이름으로

창가에서 오토바이 소리가 났다. 오토바이 소리는 밤에 더 요란하게 들린다. 나는 벌떡 일어났다. 예상대로 형이었다.

형은 헬맷을 현관문 앞에 벗어 놓고 화장실로 곧장 들어갔다. 잠깐 봤지만 옷이 찢겨 있었다. 누군가와 싸우고 온 것 같았다.

화장실 문을 살짝 열어 봤다. 형은 내가 쳐다보는 것도 모른 채 때를 밀고 있었다. 그런데 형이 들고 있는 것은 때수건이 아니라 부엌에서 쓰는 수세미였다. 형은 쓰라린지 얼굴을 몇 번씩 찡그렸다. 나는 당황스러워 어찌할 바를 몰랐다.

형은 샤워를 하다 나를 발견하고는 소스라치게 놀랐다.

"뭐야!"

형은 수건으로 몸을 가리고 작은방으로 들어가서는 문을 잠갔다.

"형, 무슨 일 있어? 저번에 큰길에서 본 사람 형 아니지?"

나는 문을 두드리며 물었다. 분명 삥 뜯다 싸움이 붙었을 것이다. 아니면 경찰한테 쫓기고 있는 건지도 모른다.

"들어가 잠이나 자! 내가 귀찮아 죽겠는데도 너 땜에 꼬박꼬박 들어오는 줄이나 알아."

형은 더는 내가 아무 말도 하지 못하게 막았다.

그 순간 형에 대한 나의 믿음은 바닥을 쳤고, 형이 하고 다니는 짓을 상상하자 범죄 영화가 떠올랐다.

밤새 뒤척이다 새벽에 고양이 울음소리에 잠을 깼다. 위층에서도 고양이 때문에 잠을 못 자겠다고 투덜대는 남자 목소리가 들렸다. 나는 위에 어떤 사람들이 사는지 모른다. 만날 일도 별로 없지만 어른들 얼굴을 잘 쳐다보지 않기 때문이다.

3층에 내 또래로 보이는 남자아이가 산다는 건 안다. 하지만 말을 걸어 본 적도 없고 마주친 적도 거의 없다. 처음엔 같은 건물에 사니까 같은 학교를 다닐 거라고 생각했는데, 학교 가는 시간과 방향이 달라서 다른 학교에 다닌다는 걸 알았다. 그 애는 나보다 일찍 집에서 출발했다. 어쩌다 밤늦게 골목에서 마주치면 묵직해 보이는 학원 가방을 짊어지고 어깨가 축 처진 채 걸어가고는 했다. 땅에 동전이라도 떨어졌는지 늘 땅을 보고 걸어서 얼굴도 제대로 볼 수 없었다.

그 애가 자기 엄마와 함께 외출하는 걸 본 적이 있는데, 걔네 엄마는 우리 엄마와는 많이 달랐다. 옷차림도 세련되고 늘 선글라스를 끼고 다녔다. 약간 깐깐해 보이는 인상이었다.

내가 걔네 엄마를 눈여겨본 이유는 이 동네에서 유일하게 외제 차를 타고 다니기 때문이다. 가끔은 골목이 좁아 차가 긁혔느니 어쩌니 하면서 우리 집 안방 창문 앞에서 성질을 부렸던 적도 있다.

나는 그 아줌마가 이상해 보여서 엄마한테 물어봤다.

"엄마, 저 아줌마는 밤에도 선글라스를 껴. 깜깜해서 앞이 잘 안 보이니까 차가 긁히는 거 아닐까?"

"차 팔아서 좋은 집에서 살지, 왜 이런 데서 살면서 시끄럽게 난린지 모르겠다!"

엄마가 자려고 이불을 펴다 말고 내 질문에 대한 대답인지, 아줌마를 향한 항의인지 분간이 안 가는 말을 내뱉었다.

언젠가 과자를 사러 나갔다가 슈퍼 아줌마와 동네 아줌마가 얘기하는 소리를 들었다.

"외제 차 끌고 선글라스 쓰고 다니면 다 강남 사모님인가?"

"이혼하고 아들하고 둘이 살잖아. 전남편한테 위자료를 얼마 못 받았나 봐."

"전에 강남에서 살았으면 뭐해. 지금 처지에 맞춰 사는 게 중요하지."

"애한테 물어보니까 글쎄 전학도 안 시키고 학교랑 학원을 강남까지 보낸다지 뭐야. 거기까지 거리가 얼만데, 여편네가 애를 잡는 거지. 쯔쯧!"

아줌마들은 혀를 차며 그 애가 불쌍하다고 했다.

그 얘기를 듣고 보니 그 애보다 내가 더 불쌍하다는 생각이 들었다. 난 엄마 아빠가 이혼을 안 했는데도 이런 데서 살고 학원도 못 다니고…… 또…… 결정적으로 비싼 외제 차도 없으니까.

엄마가 만들어 놓은 밑반찬을 꺼내서 혼자 아침밥을 먹었다. 그때까지도 형은 일어나지 않았다. 나는 서둘러 학교 갈 준비를 했다. 담장 틈새를 들여다보자 새끼 고양이는 보이지 않고 빛바랜 월드컵 티셔츠만 남아 있었다.

'어디 갔지? 엄마한테 갔나?'

나는 학교에서도 문득문득 새끼 고양이 생각이 났다. 그래서 끝나자마자 곧장 집으로 달려왔다. 명수와 현민이가 운동장에서 잠깐 놀다 가자고 했지만 새끼 고양이가 궁금해서 참기 힘들었다.

친구들은 학원에 다니지 않는 나를 부러워한다. 나도 굳이 학원을 가고 싶은 생각은 없지만, 그럴 수밖에 없는 형편을 알리고 싶진 않다. 그것은 친구들에게 새끼 고양이를 보여 주고 싶지만, 우리 집은 알려 주고 싶지 않은 것과 같은 마음이다.

헐떡거리며 뛰어와 다시 담장 틈새를 들여다봤을 때 그 녀석은 인형처럼 얌전히 앉아 있었다. 내 월드컵 티셔츠가 마치 자신의 리그인 것처럼.

나는 반가운 마음에 야옹 소리를 내며 새끼 고양이를 불렀다. 새끼 고양이가 나를 빤히 쳐다봤다. 그러더니 일어나서 내 쪽으로 걸어왔다. 그런데 절뚝거리며 간신히 틈새를 걸어오는 게 아닌가. 나는 얼결에 그 녀석을 품에 안았다. 자세히 보니 한쪽 다리에 상처가 있었다. 무언가에 뜯긴 것 같았다.

"어쩌다 이렇게 다쳤어? 혼자 다니기엔 넌 아직 어려."

나는 다친 새끼 고양이를 남겨 두고 떠나 버린 어미 고양이가 인정머리 없다고 생각했다.

품으로 파고드는 새끼 고양이의 작은 심장이 콩닥거렸다. 따뜻했다. 나는 녀석을 안고 집 안으로 들어왔다. 그리고 구급약통을 찾아 다리를 소독하고 붕대로 감아 줬다.

형은 고양이를 보자마자 성난 목소리로 물었다.

"뭐야?"

"키우려고."

"누구 맘대로? 도로 갖다 놔."

형은 내가 도와 달라고 한 것도 아닌데 뭐든 자기 마음대로 결정했다.

"내가 키울 거니까 상관 마."

"그럼 내 눈에 띄는 순간 고양이 새끼는 끝장이야. 알았어?"

"알았어. 그 대신 내가 학교에 가 있는 동안엔 손대지 마!"

나는 처음으로 형한테 대들 듯이 맞섰다.

날씨가 점점 추워지는데 새끼 고양이를 밖에 두면 굶어 죽거나 얼어 죽을 거란 생각이 들었다.

난 새끼 고양이를 슈퍼맨이라고 불렀다. 검은색이라 배트맨이란 이름이 어울린다고 생각했지만 자칭 배트맨이라 부르는 형 때문에 바꾼 거다.

"넌 이제부터 배트맨보다 힘센 슈퍼맨이야. 알았지?"

새끼 고양이를 높이 들어 올리며 말했다. 그리고 곧장 슈퍼마켓으로 달려가 라면 박스를 얻어 왔다. 고양이 집을 만들어 주고 싶어서였다.

박스 날개를 잘 접어 안으로 집어넣었다. 부드러운 수건도 깔아 줬다. 그럴 듯한 집이 순식간에 완성됐다. 아무래도 나는 손재주 하나만은 아빠를 닮았다는 생각이 들었다.

건축 설비 일을 하는 아빠는 무엇이든 척척 잘 만들었다. 작은 방에 있는 책장과 부엌의 선반도 아빠가 직접 만든 거다. 아빠가 계셨다면 분명 슈퍼맨에게 튼튼하고 예쁜 집을 지어 줬을 텐데. 아빠가 베트남으로 간 이후엔 아빠에 대한 좋은 추억만 자꾸 떠오른다.

슈퍼맨과 TV를 보고 라면을 끓여 먹다 보면 시간이 예전보다 두 배는 빠르게 가는 것 같다. 하지만 형은 갈수록 늦게 들어오고 나 혼자 있는 시간은 점점 늘어났다.

형은 친구 병문안을 핑계로 나를 혼자 두고 외박까지 했다. 그럴수록 형에 대한 의심은 눈덩이처럼 불어났다. 말해 봤자 소용없는 일이라는 것도 안다. 형은 길고양이처럼 누구의 말도 듣지 않는 제멋대로 인생이니까.

나는 급기야 형에 대한 관심을 끄기로 했다. 이제야 엄마 아빠의 심정을 조금은 알 것 같았다. 왜 형을 유령 대하듯 했는지. 그나마 슈퍼맨이 곁에 있어 위로가 됐다. 나는 매일 밤 슈퍼맨을 안고 잠이 들었다. 그리고 슈퍼맨을 아기처럼 토닥거리며 말했다.

"너 없었으면 난 잠도 제대로 못 잤을 거야."

아침에 학교에 가려고 현관문을 잠그려는 순간 형이 들어왔다. 형은 아무 말도 하지 않고 방으로 쏙 들어갔다. 집에 안 들어오고도 저렇게 뻔뻔할 수 있다니. 형의 배짱은 막가파 히틀러 급이었다.

나는 계단을 몇 발짝 오르다 말고 형을 따라 다시 집으로 들어갔다.

"형! 슈퍼맨 좀 부탁해!"

난 큰 소리로 현관문 앞에서 말했다.

내 부탁은 슈퍼맨을 건들지 말라는 뜻이었다. 그런데 아무 대답이 없었다. 귀찮았지만 신발을 벗고 들어가 작은방을 들여다봤다.

"형……."

순간 나는 입을 벌리고 멍하니 형을 바라봤다.

형이 흐느끼며 머리를 쥐어뜯고 있었다. 형의 그런 모습은 처음 봤다. 항상 당당하고 잘난 척하는 형이었으니까.

"정말 더러워서 못해 먹겠네. 주방장이면 다야! 뭐, 못 배운 주제에 배달이나 잘하라고?"

형이 책상을 쾅쾅 치며 억울해했다.

"형, 왜 그래? 무슨 일 있어?"

"상관 말고 나가!"

형이 소리를 지르자 난 바짝 졸아 버렸다.

"슈퍼맨 좀 부탁하려고……."

"슈퍼맨? 시끄럽게 하면 갖다 버릴 거야!"

나는 형의 말을 듣고 어찌할 바를 몰랐다. 형은 갖다 버리고도 남을 사람이다. 형은 작은방을 같이 쓸 때도 내가 장난감을 갖고 놀다 치우지 않으면 곧장 쓰레기통에 넣어 버렸고, 미술 숙제를 하다 책상을 어지럽히면 스케치북을 통째로 구겨서 던져 버렸다.

형은 마치 나를 괴롭히기 위해 태어난 사람 같았다. 내가 속상해서 울기라도 하면 형은 그럴 때마다 이렇게 말했다.

"아빠한테 가서 일러. 아빤 늘 네 편이잖아."

나는 그러고 싶은 마음이 굴뚝같았지만 이르고 나면 뒷일을 감당할 수 없을 것 같아 참았다.

형한테 담배 냄새가 난다고 아빠한테 말한 날, 형은 내게 이불을 뒤집어씌우고 사정없이 때렸다.

그 뒤 나는 내가 해야 할 일과 해서는 안 되는 일을 구분해서 행동했다. 많은 호기심거리를 형을 보며 알게 됐고 해소했지만 따라 하긴 싫었다. 불안정하고 위태로워 보일 때가 더 많았기 때문이다. 어쩌면 내 마음 한쪽 귀퉁이에서 유혹하는 것들을 형이 직접 보여 주고 있다는 생각도 들었다. 내가 형에 대한 응징을 포기한 이유도 바로 그 때문이다.

다행히 학교에서 돌아와 보니 슈퍼맨은 무사했다. 그때까지 형은 작은방에서 자고 있었다. 초저녁이 돼서야 일어난 형은 연거푸 피곤하단 말을 내뱉었다. 그러더니 세수를 하고 나와 생각지도 않은 피자를 시켰다.

"냉장고에 먹을 것도 없던데 이거라도 먹어라."

나는 피자를 먹으면서도 찜찜했다. 마치 애들 돈을 강제로 뺏어서 사 먹는 기분이었다.

형은 피자를 다 먹고 나가면서 나에게 용돈까지 줬다.

"먹고 싶은 거 있으면 사 먹어. 엄마 오면 받을 거니까."

난 그 돈이 도대체 어디서 난 거냐며 엄마처럼 따져 묻고 싶었지만 참았다. 차마 입 밖으로 나오지 않았다.

'이 돈을 쓰면 나도 공범이 되는 건가?'

나는 만 원짜리 지폐 두 장을 들고 한참을 바라봤다. 하지만 지폐에 있는 세종대왕은 나에게 아무 말도 해 주지 않았다. 오토바이 소리만 형의 방귀 소리처럼 크게 들렸다.

집에서는 슈퍼맨과 노는 게 유일한 낙이었다. 공놀이도 하고 과자도 나눠 먹었다. 그런데 어느 날부터인가 밤마다 안방 창틀에서 모르는 고양이가 울어 댔다. 덩치 큰 검은색 고양이였다. 슈퍼맨처럼 생긴 걸로 보아 어미 고양이가 틀림없었다.

"쳇! 버릴 땐 언제고 이제 와서 달라고?"

나는 어미 고양이한테 따지듯 말했다.

어미 고양이 울음소리는 멈추질 않았다. 마치 "내 새끼 돌려줘." 하며 애원하는 것 같았다. 위층 남자는 화가 날 대로 나서 욕지거리를 내뱉었다.

"이놈의 동네엔 웬 도둑고양이들이 이리 많은 거야! 다 잡아다가 고양이탕을 만들어 버릴까 보다."

남자의 사나운 목소리는 오히려 나를 주눅 들게 만들었다.

며칠 뒤, 슈퍼맨을 어미 고양이한테 돌려줘야겠다고 마음먹었다. 엄마도 내가 고양이를 안방에서 키운 걸 알면 좋아하지 않을 것 같았다. 이불에는 고양이털이 덕지덕지 붙어 있고 오줌 냄새도 심하게 났다. 생선 썩은 냄새 같았다. 사실, 그것보다 더 큰 이유는 시간이 갈수록 슈퍼맨이 말귀를 못 알아듣는 것 같아 짜증이 났다. 아무 데나 똥오줌을 싸 놓으면 쥐어박고 싶을 때가 한두 번이 아니었다.

"야! 여기다 오줌 싸지 말라고 했지? 멍청한 고양이."

나는 슈퍼맨이 갈수록 귀찮게 느껴졌다. 그래서 씩씩대며 슈퍼맨을 안고 담장 틈새로 갔다. 하지만 아무리 기다려도 어미 고양이는 나타나지 않았다. 이상한 건 그곳에 전에 없던 덫처럼 보이는 쇠붙이가 있었다. 할 수 없이 다시 슈퍼맨을 데리고 집 안으로 들어와 버렸다.

밤이 되자 또다시 창가에서 어미 고양이 울음소리가 들렸다.

"찾을 땐 안 보이더니 왜 이제서야 나타난 거야?"

나는 낮에 마음먹었던 것과 달리 슈퍼맨 없이 혼자 밤을 보낼 자신이 없었다. 그래서 얼른 슈퍼맨을 부엌 쪽으로 데리고 갔다.

"슈퍼맨, 너희 엄마 맞니?"

나는 슈퍼맨에게 물었다.

"야옹!"

뜻밖에 슈퍼맨은 곧바로 대답했다. 내 말을 알아듣는 것 같았다.

마음이 약해졌지만 슈퍼맨을 부엌에 내려놓고 혼자 어미 고양이에게 갔다.

"미안한데 슈퍼맨은 다음에 돌려줄게."

이번엔 내가 어미 고양이한테 사정하듯이 말했다.

어미 고양이는 나를 한참 동안 노려봤다. 그러다가 막 돌아서려는 순간, 위층에서 커다란 무언가가 퍽! 떨어졌다.

"아악!"

위층 남자가 안방 창문과 담장 사이에 끼었다. 나는 놀라서 소리쳤고 남자는 빠져나오려고 발버둥쳤다.

그 틈에 어미 고양이는 이미 어디론가 사라져 버렸다.

"나 참! 저놈의 고양이 잡으려다 사람 잡겠네."

남자의 손에는 잠자리채 같은 것이 들려 있었다. 그동안 계속 고양이를 잡으려고 했던 모양이다. 남자는 두리번거리며 119를 불러 달라고 소리쳤다.

잠시 뒤, 사람들이 웅성거리며 모여들었다. 나는 커튼을 치고 슈퍼맨을 끌어안았다.

10. 따뜻한 진실

엄마가 출장에서 돌아온다는 전화를 받았다. 엄마가 해 놓은 밑반찬과 사골국은 동난 지 오래였다.

아침에는 콘플레이크, 점심엔 학교 급식, 저녁엔 계란 프라이나 라면으로 때웠다. 엄마는 출장 가 있는 동안 어쩌다 통화를 하면 밥 잘 챙겨 먹고 문단속 잘하라는 말만 되풀이했다. 떨어져 있은 지 몇 주 되지도 않는데 몇 년은 지나간 기분이었다. 엄마는 밤 늦게 도착할 거라고 했다.

'엄마가 도착하려면 아직 멀었는데 그동안 뭘 하지?'

난 짬이 나는 동안 친구들을 만나고 싶었다.

저번에 현민이가 자기 집으로 놀러 와도 된다는 말이 떠올라

전화를 걸었다.

"현민아, 명수랑 너네 집에 놀러 가도 되냐?"

"오늘은 학원 한 군데밖에 안 가니까 와도 돼. 대신 오래 놀진 못하지만."

"나도 어차피 좀만 놀다 들어와야 해. 엄마가 출장 갔다 저녁에 오시거든."

"그럼 됐어. 학교 앞에서 만나자."

다행히 명수도 집에 있었다. 우린 학교 앞에서 만나 현민이네 집으로 갔다.

현민이는 역시 넓은 아파트에 살고 있었다. 그렇다고 화려하게 꾸며진 집은 아니었다. 그냥 정리정돈이 잘된 집이었다.

"혼자 있었어?"

"아니, 고양이 두 마리랑. 우리 엄마 아빠 퇴근이 늦어."

현민이는 아무렇지 않게 대답했다. 나처럼 혼자 있다고 투덜대거나 무서워하지도 않았다. 역시 쓸 만한 놈이라는 생각이 들었다.

"고양이는 어딨어?"

"저기 위에 있잖아."

현민이가 고양이 집을 가리키며 말했다. 고양이 집은 내가 슈퍼맨에게 만들어 준 라면 박스와는 확연히 달랐다. 캣 타워라는 대형 고양이 집이 거실 한쪽에 떡하니 자리 잡고 있었다. 그 꼭대기 칸에 TV에서나 보던 페르시안 고양이가 우리를 빤히 내려다보고 있었다. 내가 키우는 길고양이를 데려왔다면 단박에 기가 죽을 뻔했다.

"나머지 한 마리는?"

"저기 있잖아."

현민이가 가리킨 곳은 베란다 모래밭이었다.

"저기에서 볼일 보거든."

난 현민이 얘기를 듣고 슈퍼맨한테 미안한 마음이 들었다. 좋은 환경에서 제대로 돌봐 주지도 않았으면서 아무 데다 똥오줌을 싼다고 나무랐으니 말이다.

"재는 좋은 주인 만나서 좋겠다."

나는 페르시안 고양이가 부러워서 말했다.

"그런 소리 마. 내가 형제가 없다고 엄마가 고양이를 사 줬는데 신경 쓸 게 한두 가지가 아니야. 길고양이보다 병이 더 많아. 어제도 동물병원 갔다 왔다니까."

"정말? 이런 데서 살면 행복할 줄 알았는데……."

난 현민이의 말을 듣고 놀랐다.

그때 집 안을 둘러보던 명수가 끼어들며 한마디했다.

“야, 배부른 소리 그만해. 사람 먹고 살기도 힘든데 저딴 고양이 행복 지수까지 따져야겠냐? 아파도 병원비가 없어서 병원 못 가는 사람이 얼마나 많은데.”

명수는 아무래도 암으로 돌아가신 아빠 생각이 난 것 같았다. 할머니와 사는 걸 원망하진 않지만 마음속에 울분이 차 있는 것만은 분명했다.

“명수 말이 맞긴 한데, 현민이는 모든 것이 풍족하다고 해서 다 좋은 건 아니라는 말을 하고 싶었던 게 아닐까?”

난 어느새 두 사람의 의견 차이를 꼬이지 않게 풀어 주고 있었다.

현민이는 우리에게 짜장면과 탕수육을 시켜 줬다. 형이 일하는 중국집이 아니어서 다행이었다. 형이 배달을 온다면 얼마나 쪽팔릴까? 난 친구들한테 없는 형을 가졌는데도 불구하고 대놓고 자랑할 수 없었다.

우리는 얼굴에 짜장면을 묻혀 가며 웃고 떠들면서 먹었다. 세상에 이보다 맛있는 음식은 둘도 없는 것처럼. 형이 친구들과 모이면 얼굴이 밝아지는 이유를 알 것 같았다.

현민이는 정확하게 5시가 되자 학원 갈 준비를 했다. 누가 챙겨 주지 않아도 스스로 자기 관리를 하는 모습이었다. 명수와 나는 아쉬움을 뒤로하고 현민이네 집을 나왔다. 가는 길에 나는 명수에게 이렇게 말했다.

"부잣집에 살아서 부러울 줄 알았는데 별로 안 부럽네. 내가 이상한 건가?"

"난 많이 부러운데. 뭐, 부자라서 현민이를 좋아한 건 아니지만."

"너는 높은 데 살아서 비 걱정은 안 하지? 우리 집은 반지하라 비 걱정까지 하면서 산다."

나도 모르게 명수에게 우리 집 상황을 술술 털어놨다. 아까 명수가 했던 말이 마음에 남아서였을까?

"세상에 걱정 없는 사람이 어딨냐?"

명수는 아무렇지 않게 내 말을 받았다. 그리고 조용히 내 어깨에 손을 올렸다. 친구에게 위로받는 느낌은 처음이었다. 명수와 나는 한참을 그렇게 걸어가다 학교 앞에서 헤어졌다.

해가 지고 금방 어둑어둑해졌다. 나는 슈퍼맨을 데리고 엄마 마중을 나가기로 했다. 느리게 가는 시간을 슈퍼맨이 지루하지 않게 해 줄 거라 믿었다.

슈퍼맨은 밖으로 나오자 팔짝대며 내 주위를 맴돌았다. 이제는 다리도 완전히 회복된 것 같았다. 그런데 슈퍼맨이 갑자기 어디론가 잽싸게 달려갔다. 나는 슈퍼맨을 뒤쫓았다. 하지만 슈퍼맨은 어느새 폐자재 위를 타고 옆집 담장으로 넘어가 버렸다.

"슈퍼맨, 돌아와!"

아무리 소리쳐도 슈퍼맨은 뒤돌아보지 않았다. 마치 형이 예전에 집을 뛰쳐나가는 모습을 보는 것 같았다. 그때 엄마와 나는 형을 부르며 뒤쫓았지만 재빠른 형을 잡을 수 없었다.

그날 형은 아빠에게 덤비다 따귀까지 맞았다.

"학교를 다니기 싫다니 말이 되는 소릴 해야지! 나중에 얼마나 후회하려고 저러는지. 나 원."

아빠는 형이 뛰쳐나간 후에도 한참 동안 화가 풀리지 않는 듯 씩씩대고 있었다.

"좋은 친구를 사귀어야 하는데……."

엄마는 형이 나쁜 친구를 사귀어서 엇나가는 것 같다고 말했다.

"남의 애들 탓할 것 없어. 우리 애 단속이나 잘하라고."

이상하게 아빠는 유독 형한테만 엄격했다. 옆에서 봐도 이상할 정도였다. 나만 모르는 이유가 있는 건가 궁금하기까지 했다. 그래서 그런지 형은 나처럼 아빠한테 장난을 치거나 말도 편하게 거는 일이 없었다.

나는 그 이유를 형이 맞고 뛰쳐나간 날 아빠에게 들었다.

"아빤 말이다. 날 닮은 큰아들한테 정말 기대가 컸다. 하지만 영석이 하는 짓이 나하고 너무 똑같아서 화가 난다. 저러다가 나처럼 시시하게 살게 될까 봐 걱정돼서 잠도 안 와. 영진아, 아빠 꼰대 맞지?"

"아니……."

나는 더 이상 아무 말도 할 수 없었다. 아빠는 진심으로 형을 걱정하고 있었다.

'이렇게 슈퍼맨과 영영 헤어지는 건가? 인사도 없이…….'

아무리 애타게 불러도 야옹 소리 한번 내지 않는 슈퍼맨이 야속했다.

그때 누군가 나를 전봇대 옆에서 지켜보고 있었다. 3층 아이였다.

"그렇게 부른다고 오겠냐?"

그 애가 먼저 말을 걸었다.

"치! 뭔 상관이래?"

난 그 애의 첫마디를 시큰둥하게 받았다. 필요 이상의 관심이라고 여겼기 때문이다.

"고양이는 독선적이라 자기가 오고 싶을 때 돌아와."

"나도 그건 알아."

"네가 만약 잘해 줬으면 날마다 인사하러 올 것이고, 못해 줬으면 방에 쥐를 물어다 놓을 수도 있어."

"끔찍한 얘긴 사절이야."

"우리 엄마가 캣맘이라 잘 알아서 하는 얘기야."

"캣맘?"

"그래. 밤마다 선글라스 끼고 길고양이 밥 주러 다니잖아."

"그런 거였어? 근데 왜 밤에 선글라스를 끼시니?"

나는 궁금했던 차에 잘됐다 싶어 물어보았다.

"고양이 싫어하는 사람들은 개체 수 늘어난다고 밥 주는 거 반대하거든. 그래서 몰래 도둑고양이처럼 하고 다니는 거래."

"그렇구나. 너희 엄마 정말 특이하시다."

"특이한 건 아니고. 전에 키우던 고양이가 집을 나가 버렸거든. 엄마랑 아빠가 맨날 싸우니까 시끄러웠나 봐. 그게 미안해서 그러는 거래."

"어쩐지. 생각해 보니 너희 이사 오고 고양이가 더 늘어난 거 같긴 하다."

"그래? 하하하!"

그 애는 웃기지도 않은 얘기를 듣고 큰 소리로 웃었다.

땅만 쳐다보고 다니던 애가 고양이 얘기로 말을 붙여 오고 저렇게 크게 웃을 줄은 몰랐다.

"같이 찾아 줄까?"

그 애는 선뜻 나서서 슈퍼맨을 찾아 주겠다고 했다.

"어? 정말?"

난 뜻밖의 동행자가 생겨 잠시 주춤했다.

"내가 고양이에 대해서 좀 아니까. 쉽게 찾을 거야."

"고마워."

난 그 애의 친절을 고맙게 받아들였다.

그 애와 동네를 두 바퀴 돌았지만 허사였다. 고양이에 관해 아는 것과 고양이를 찾는 건 별개였다. 다리에 힘이 풀렸다.

"난 이제 들어가 봐야겠다. 담에 또 보자."

그 애가 먼저 집으로 들어가며 말했다.

"어……. 그래."

난 길게 대답하고 그 애의 뒷모습을 쳐다봤다.

'뭐지 이 애매모호한 감정은?'

슈퍼맨보다 갑작스런 그 애의 출현으로 잠시 어리둥절했다.

편견 때문에 사람을 잘 못 본 거 같기도 하고 새로운 친구가 생긴 것 같기도 했다.

난 그 애의 이름도 모른다. 그 애 역시 마찬가지겠지만. 하지만 그 애가 좋은 놈이라는 건 느낌으로 알 수 있었다.

나는 엄마를 마중 나가려던 것도 잊고 다가구 계단참에 앉아 있다가 집으로 들어갔다. 그런데 이상하게도 현관문이 열려 있었다.

"엄마야?"

나는 스위치를 찾으며 떨리는 목소리로 엄마를 불렀다. 그때 형이 작은방에서 나왔다. 형 손에는 검정고시 책이 들려 있었다. 그 책은 아빠가 베트남에 가기 전에 형 방에 사 놓고 간 거였다.

형은 그동안 그 책을 구석에 처박아 놓고 한 번도 들춰 보지 않았다. 책을 든 형의 모습이 낯설게 보였다.

"밤에 어딜 갔다 온 거야? 쪼그만 게 겁도 없이."

형은 마치 아빠라도 되는 것처럼 말했다.

"형은 날마다 늦게 다니면서 그런 말이 나와?"

나는 말로는 형한테 지고 싶지 않았다.

"나야 돈 벌러 다니니까 그렇지."

"삥 뜯는 것도 돈 버는 거야?"

"이 자식이 무슨 말을 하는 거야?"

"나도 다 알아."

"네가 뭘 알아? 배달을 두 탕씩 하는 형님이 얼마나 힘든지 네깟 꼬맹이가 안다고?"

형은 나를 무시하는 투로 말했다.

나는 더 이상 형과 말을 섞고 싶지 않아 다시 밖으로 나와 버렸다. 현관문도 일부러 세게 닫았다. 쾅! 하고 현관문 닫히는 소리가 통쾌하게 들렸다.

'이런 기분에 반항하는 거구나.'

나도 모르게 형의 감정 표현이 이해가 됐다. 그렇다고 형의 모든 행동을 이해하는 건 아니다. 이해해 주고 싶지도 않았다.

어쩌면 아빠가 사 준 검정고시 책도 헌책방에 팔아넘기려고 하는 건지 모른다. 그렇지 않고는 형이 책을 만지작거릴 이유가 없으니까.

난 버스 정류장을 향해 몇 발자국 걷다가 추워서 다시 집으로 들어갔다. 금방 다시 들어간다는 게 자존심 상하긴 했지만 밤이 되자 밖이 너무 추웠다.

나갈 때는 발소리를 일부러 쿵쾅거렸는데 들어갈 땐 뒤꿈치를 들고 계단을 살살 내려갔다.

작은방을 슬쩍 보자 형이 책상에 앉아 있었다.

'동생이 화를 내며 나갔는데 저렇게 태평이라니……. 인정머리 없는 형.'

난 TV를 켜서 일부러 볼륨을 높였다.

"꼬맹아, 좀 조용히 할 수 없어!"

방에서 형이 소리를 질렀다.

"치, 뭘 한다고? 시험공부라도 하시나?"

나는 비아냥거리며 말했다.

"그래, 시험공부한다."

이번에도 형이 검정고시 책을 들고 나와서 말했다.

"정말?"

나는 형이 공부한다는 말을 믿을 수가 없었다.

"해야지. 가방 끈 짧다고 주방장한테 무시당하는 것도 싫고, 학교 다니는 친구 녀석 생일 파티에 하필 내가 배달을 갔는데 대박 쪽팔리더라."

"혹시, 거기에 여자 친구 있었던 거 아냐?"

나는 장난삼아 껄렁거리며 물었다.

형은 잠시 머뭇거리더니 얼굴이 빨개져서 한마디했다.

"짜식! 눈치 빠른데."

"그럼 이제 배달 안 할 거야?"

"그동안 학원비 벌려고 열라 일했는데 그만둬야지."

"딴짓 안하고 정말 일만 했다고?"

"나도 양심은 있는 놈이야. 내가 자퇴하고서 다시 공부하겠다고 학원비 달라고 할 순 없잖아. 집안 형편도 이런데."

난 형이 하는 말을 듣고 팔짱을 끼고 곰곰이 생각했다.

형이 갑자기 공부하겠다는 것도 못 미덥고, 옷이 뜯기고 흙탕물이 튄 채 들어왔던 날이 떠올라 쉽게 의심을 누그러뜨릴 수 없었다.

형은 내가 아직도 형을 못 믿는 것 같아 보였는지 덩달아 팔짱을 끼고 변명을 덧붙였다.

"요 며칠 내가 못 들어온 건…… 네가 놀랄까 봐 말 안 했는데 같이 배달하던 친구가 교통사고가 나서 그런 거야. 지금 중환자실에 있어."

"노랑머리 형 말하는 거야?"

"그래. 오토바이 사고 현장을 봤는데 정말 끔찍하더라. 깨어

나도 두 다리를 못 쓸 거래. 사실 나도 배달하다 몇 번 죽을 뻔하긴 했지."

형은 한숨을 푹 내쉬며 말했다.

아는 형이 그렇게 됐다는 소식을 들으니 순간 머리가 쭈뼛섰다. 더 이상 캐묻고 싶지도 않았다.

사고 얘기를 듣자 잠시 잊고 있던 슈퍼맨이 떠올랐다.

"형……, 나 슈퍼맨 잃어버렸어."

형은 내가 슈퍼맨 얘기로 화제를 바꾸자 고개를 갸우뚱했다.

내 생각에 형이라면 슈퍼맨을 금방 찾을 수 있을 것 같았다.

"감당도 못 하는 녀석이 그딴 건 왜 키워 가지고."

형은 역시 냉정했다.

"지금 내가 얼마나 속상한데, 그런 말이 나와?"

"불쌍해서 키우기로 했으면 끝까지 책임을 지든가."

"그런 형은? 약한 사람 괴롭히는 게 취미야? 큰길에서 돈 뺏는 거 다 봤어."

순간 나도 모르게 속에 담아 두었던 말이 봇물처럼 터져 나왔다.

"이 자식이 사람을 뭐로 보고!"

형의 얼굴이 붉으락푸르락하면서 몸을 부르르 떨었다.

"악당 노릇이나 하고 다니면서 정의의 사도인 척 큰소리치니까 그렇지!"

"너한테 시시콜콜 설명하기 귀찮아서 얘기 안 했는데, 그때 네가 오해할 줄 알았다. 그날 나도 너 봤어."

"그게 오해라고? 치사하게 변명할 생각하지 마."

"사실은 골목에서 돈을 빼앗아 달아나는 놈을 내가 잡아서 혼내 주고 애들한테 돈 돌려준 거야. 알았어? 그 패거리들 잡으려다 오토바이가 미끄러져 다치기까지 했는데 넌 이 형님을 아직도 모르겠냐?"

형은 또박또박 그때 상황을 설명해 주었다. 하지만 난 형의 말을 듣고도 머릿속만 복잡해질 뿐 의심이 말끔하게 풀리질 않았다.

"형이 경찰이야? 왜 그런 일을 해?"

"그러게 말이다. 누가 알아준다고."

형은 머리를 끄덕이며 말했다.

나는 형이 아무리 해명해도 미심쩍은 게 많았다.

"그럼 그날 왜 아프게 수세미로 때를 민 건데?"

"옛날에 내가 그 녀석처럼 뒷골목을 어슬렁거리던 생각이 나서 그랬다. 수세미로 밀면 정신이 번쩍 들거든. 엄마 아빠 속

썩인 일들도 떠오르고."

"형……."

"이젠 배트맨 놀이도 그만 해야겠다. 동생도 형을 안 믿는데."

형은 방으로 들어가면서 내 머리를 사정없이 흩뜨려 놓았다.

형의 말을 종합해 보니 모두 진실로 다가왔다. 형한테 미안한 마음이 들었다.

"형, 라면 먹을래?"

나는 방문을 빠끔히 열고 말했다.

"라면은 됐고, 점퍼 입고 나와 봐."

형은 무언가 생각난 듯 손짓을 하며 따라오라고 했다. 그러더니 집 뒤 오토바이가 세워진 곳으로 데려갔다.

"얼른 타! 고양이 찾아 줄게."

"진짜야, 형?"

"어느 쪽으로 가는지 봤냐?"

나는 고양이를 찾는 것보다 오토바이를 탄다는 사실에 더 흥분되고 들떴다.

"담장을 타고 저쪽으로 넘어갔어."

나는 손가락으로 옆집 담장을 가리키며 말했다.

형은 내 머리에 헬맷을 씌우더니 뒷자리에 앉으라고 했다. 생각보다 오토바이 뒷자리가 높게 느껴졌다. 다리 올릴 곳도 마땅히 없었다. 설렘과 두려움이 교차했다.

"꽉 잡아!"

형은 큰 소리로 말하고 오토바이 시동을 걸었다. 순간 내 몸에 시동이 걸린 것처럼 덜덜 떨렸다. 출발 직전엔 하도 긴장을 해서 오줌이 찔끔 나올 뻔했다. 짐 자전거를 탈 때와는 반대로 이번엔 내가 형을 뒤에서 꽉 잡았다.

오토바이는 바람을 가르며 달렸다. 소름이 돋을 정도로 시원하고 짜릿했다. 자전거를 탄 것과는 비교할 수 없을 정도였다. 지구 한 바퀴쯤은 순식간에 돌 수 있을 것 같았다.

명수와 현민이가 떠올랐다. 자전거 여행을 처음 경험하게 해 준 친구, 자기의 처지를 부끄러워하지 않는 친구. 엄마가 오면 우리 집에도 초대해야겠다는 생각이 들었다. 엄마한테 김치 부침개 대신 떡볶이라도 만들어 달라고 할 것이다.

형은 큰길에서는 제법 속도를 냈지만 골목으로 들어와서는 아주 천천히 구석구석 돌았다.

"난 오토바이를 운전하니까 네가 담장이나 지붕 위주로 잘

봐."

"응."

난 두 차례 슈퍼맨과 비슷한 고양이를 발견했지만 슈퍼맨이 아닌 걸 확인하고 곧 실망했다. 동네에 어떤 고양이가 사는지 조사하러 다니는 기분까지 들었다. 갈색 줄무늬가 가장 많이 눈에 띄었는데, 오늘따라 돌아다니는 고양이가 별로 없었다.

결국 슈퍼맨을 찾지 못한 채 나의 오토바이 첫 시승은 동네 한 바퀴를 도는 것으로 끝났다.

"도저히 못 찾겠다. 잊어버려!"

형은 나를 집 앞에 내려놓으며 말했다.

그때였다. 어디선가 가느다란 새끼 고양이 울음소리가 들렸다. 나는 얼른 담장 틈새로 가 봤다.

거기에 슈퍼맨이 있었다. 우리가 처음 만났던 그 자리에 웅크린 채로.

"형! 찾았어. 슈퍼맨 여기 있어!"

내가 형에게 소리치자 갑자기 커다란 검은 고양이가 슈퍼맨 앞으로 불쑥 나타났다. 어미 고양이였다. 슈퍼맨은 내가 그렇게 불러도 대답도 안 하더니 어미 고양이가 앞서 가자 곧바로 야옹! 하며 뒤쫓아 갔다.

'마지막 인사는 우리가 처음 만났던 곳에서 하고 싶었니?'

나는 슈퍼맨의 마음이 느껴지자 조금 덜 서운했다. 그래서 "가지 마!"라는 말보다 "잘 가!"라고 말해 주고 싶었다. 하지만 목에 뭔가 걸린 듯 말이 잘 나오지 않았다.

형도 내 옆에서 사라져 가는 슈퍼맨의 꽁무니를 한참 동안 바라봤다.

"걔들은 걔들 나름대로 살아가는 방법이 있는 거야. 고양이를 사람 사는 집에 가둬 둔다고 행복하겠니?"

형은 내 머리를 살짝 쓰다듬으며 말했다. 형도 서운한 눈치였다.

나는 알고 있다. 형이 내가 학교에 간 사이 슈퍼맨을 돌봐 줬다는 것을. 집에 돌아와서 보면 슈퍼맨 옆에 못 보던 우유 곽도 있고 참치 캔도 놓여 있었다. 나는 형이 겸연쩍어 할까 봐 모른 척했을 뿐이다.

형은 아직도 사춘기일까? 왜 처음부터 속마음을 털어놓지 않았을까? 나는 예전에 형이 경찰이 되고 싶다고 한 말이 헛말이 아니었구나 싶었다. 경찰이 되려면 어두운 세계도 알아야 하고 억울한 사람도 구해 줘야 하고……. 무엇보다 배트맨처럼 정의로워야 하니까. 어떻게 보면 형의 불만은 부당한 대우에 맞서는 몸부림이었는지 모른다.

"재는 엄마 만나서 좋겠다."

형은 어미 고양이를 따라가는 슈퍼맨을 보며 말했다. 내 눈치를 슬쩍 살피는 듯했다.

"그래도 난 아직 저 녀석을 보낼 생각이 없는데."

나는 아쉬운 표정을 지으며 형을 올려다봤다. 그때 얼굴에 차가운 알갱이가 떨어졌다. 하늘을 보니 눈이 내리고 있었다.

"형! 눈 와!"

눈이 내리자 가라앉았던 기분이 갑자기 들떴다.

"첫눈이네."

형은 첫눈을 보고도 담담했다.

"형, 엄마 올 시간 다 됐는데 같이 마중 나가자."

"너도 새끼 고양이처럼 엄마가 보고 싶구나?"

"응. 형은?"

"……."

형은 대답하지 않았다.

나는 형과 단둘이 지내면서 아빠나 엄마가 보고 싶다고 말한 적이 없다. 형이 꼬맹이 취급하는 것도 싫었지만 형한테 약한 모습을 보이는 건 더 싫었다. 형이 아무리 어른스럽게 굴어도 내 눈엔 여전히 철들지 않은 실수투성이 문제아로 보였기 때문이다.

형은 형제일 뿐 내 보호자가 될 수는 없었다. 그런데 이상하게도 아빠가 큰아빠를 도와주고 싶어 한 마음은 이해가 됐다. 나도 그 상황이 되면 아빠처럼 할 것 같은 예감이랄까? 아빠가 했던 말이 자꾸만 귓가에 맴돌았다. 내겐 하나밖에 없는 형이라는 말.

내가 손을 비비자 형이 내 손을 자기 점퍼 주머니 속에 쑥 집어넣었다.

"손 시리지? 원래 오토바이 뒤에 타면 손 시린 거야."

이 쑥스러움은 뭐지? 난 형 주머니에서 손을 슬며시 빼냈다.

"얼른 엄마 마중이나 가자."

난 형보다 조금 앞서 걸으며 말했다.

"그래, 그러자."

형이 내 부탁을 이렇게 순순히 들어주긴 처음이었다. 어쩌면 형도 엄마가 보고 싶었는데 티를 내지 않았는지 모른다.

"형, 내가 붕어빵 사 줄게. 나 용돈 많이 남았어."

"너나 사 먹어. 마지막으로 형이 오토바이나 한 번 더 태워 줄까?"

"정말?"

"그 대신 넌 나처럼 절대 오토바이 타면 안 돼. 나도 오토바이는 오늘까지만 탈 거니까."

형은 나에게 다짐받듯 말했다.

"이다음에 형이 돈 많이 벌면 친구가 준 것보다 더 좋은 자전거 사 줄게. 알았지?"

"응."

갑자기 형이 아빠처럼 크게 느껴졌다.

가로등 불빛에 비춰진 눈발은 점점 굵어지며 넓게 퍼져 나갔다. 나는 형의 허리를 꽉 붙잡았다. 형의 등은 따뜻했다. 슈퍼맨을 안았을 때보다 훨씬.

갈팡질팡 좌충우돌 사춘기!

얼마 전까지 입시 학원에서 상담일을 하며 힘겨운 십대를 보내는 아이들을 종종 접할 수 있었다. 나름 하소연하고 싶고 울분이 차 있는 아이들이 있는가 하면 티를 안 내려고 애쓰는 아이들도 있었다. 또한 그들 곁에는 그들의 마음을 이해하고 보듬어 주는 부모가 있는가 하면 화내고 다그치는 부모도 적지 않았다. 난 상담을 하며 십대들에게 가장 필요한 것은 공감과 격려라는 생각이 들었다. 그들은 곧 그 모든 걸 견뎌 낼 위대한 십대들이기 때문이다.

자칫하면 마음의 빗장을 닫아 버리는 시기가 바로 사춘기다. 그래서 간섭하는 가족보다 친구가 더 편할 때가 많다. 나 역시 가족보다 친구가 더 좋은 시절이 있었다. 내성적인 성격이라

친한 친구에게조차 고민을 쉽게 드러내지도 않았다. 나의 십대는 어른과 아이 사이에 걸쳐진 느낌이었다. 그래서 어른이 되면 모든 고민거리가 해결될 거라 믿었다. 하지만 막상 어른이 되고 보니 전혀 그렇지 않았다. 고민거리는 점점 늘어나고 난 여전히 작은 일에도 갈팡질팡하며 살고 있다. 오히려 사춘기 때 정신적으로 더 성숙했었다는 느낌이 들기도 한다. 그건 아마 처음으로 내 자신의 내면을 철저하게 들여다보고 머리부터 발끝까지 존재감을 확인하고 싶었기 때문이 아닐까?

이 책의 내용은 상상력에서 비롯된 픽션이지만 글을 쓰는 동안 사춘기를 힘겹게 보낸 아들 생각이 많이 났다. 아들 녀석은 고등학생이 된 어느 날 자신을 줄곧 힘들게 했던 것에 대한 해

답을 찾고 나에게 고백했다. 자신이 헤쳐 나가야 할 길을 꽤나 오랫동안 생각한 것 같았다. 난 그저 잘 버텨 줘서 고맙다고만 했다. 누군가는 말했다. 내버려 두라고. 모두가 처음 겪는 거라고.

사춘기를 기쁘게 맞이하는 사람은 없다. 강약의 차이는 있겠지만 또래들 모두 그 시기를 견뎌 내고 있는 중이다. 단지, 내가 그 친구들에게 해 주고 싶은 말은 흐트러지고 어긋날 수는 있지만 중심은 잡고 있어야 한다는 거다. 주변 사람들과 관계 맺는 일도 스스로 관계의 법칙을 터득해야 상처받는 일을 줄일 수 있듯이, 다양한 경험을 하나의 과정으로 생각하면 한결 마음이 편해지지 않을까? 조급함도 잠시 미뤄 두고 한 발짝 뒤에서 바라보는 여유를 가져 보자. 가시밭길 속에서는 우리 자신도 모르는 사이에 상처를 주기도 하고 받기도 한다.

그 시기엔 진짜 꿈이 무엇인지 헷갈리고 방황할 수 있다. 방문을 꼭꼭 걸어 잠그고 틀어박혀 있고 싶을 때도 있다. 세상에 나 혼자인 것처럼 외로울 수도 있다. 하지만 괜찮다. 맘껏 고민하고 맘껏 갈팡질팡하고 좌충우돌하라! 그런 사람은 자신이 어떤 길을 가야 진짜 행복한지 스스로 깨달을 수 있으며, 가장 좋은 선택을 할 수 있는 마음 자세를 갖추게 된다. 가끔은 아주 크게 소리 내어 웃어 보자! 분명 생각보다 많은 사람들이 응원하고 있다는 사실을 알게 될 것이다.

2017년 10월 송방순

랙Lag 걸린 사춘기

초판 1쇄 2017년 10월 31일
초판 5쇄 2021년 10월 27일
글 송방순
펴낸이 황정임
펴낸곳 초록서재 (도서출판 노란돼지)
주소 경기도 파주시 문발로 115, 307 (우)10881
전화 (031)942-5379
팩스 (031)942-5378
등록번호 제406-2015-000137
등록일자 2015년 11월 5일
편집 김성은,
마케팅 이주은, 이수빈, 고예찬
경영지원 손향숙
디자인 이재민

도서출판 초록서재 (도서출판 노란돼지)는 독자 여러분의 의견을 기다립니다.
yellowpig.co.kr | 인스타그램 @yellowpig_pub
ISBN 979-11-957187-3-3 43810

값은 표지 뒷면에 있습니다.

이 책은 경기도, 경기문화재단, 한국문화예술위원회의
문예진흥기금을 보조받아 발간되었습니다.

초록서재

초록서재는 연노랑의 잎이 자라 초록의 나무가 되듯 청소년의 생각과
마음 성장을 돕는 책을 펴냅니다.